新井　満 著

ふるさとの夕陽なつかし

望郷随筆集

朱鷺新書

006

はじめに

新潟市が主催する文化イベントに〝ふるさとへ贈る手紙〟というものがある。毎年、全国からたくさんの応募作品が送られてくる、人気のコンクールである。選考委員は女優の星野知子さんと私。二人が楽しみにしていることがあって、それは、「どんな〝ふるさと〟が、今年は登場するんでしょうねぇ…」ということ。

ふるさとという言葉からイメージするのは、まずは山や海や河、即ち大自然の景観であろう。ところが応募作品のふるさとは実にユニークで、ある時はバス停や火の見矢倉や小学校の運動会で、またある時は父親と一緒に食べた鍋焼きうどんであったりするのだ。選考しながら時々考えることがある。

〈そもそもふるさとを想うとは、いったいどういうことなんだろうなあ…〉

たぶんそれは、人生の来し方を振り返り、宝物のような懐かしい思い出に再会することなのであろう。

☆

私のふるさとは、新潟市である。高校卒業と同時にふるさとを離れ、以来四十六年が過ぎた。大阪、奈良、神戸、東京、横浜など、全国各地を転々とし、現在は北海道の道南地方、駒ヶ岳の山麓に広がる森の中で、ヤギや豚や羊たちと共に暮らしている。

しかし、日本のどこにいる時も、ふるさとのことを忘れたことは一度もなかった。生涯、つねに気になる場所。それが、ふるさとなのだろう。これまで。ふるさとに寄せる想いを数限りなく書いては、新聞や雑誌に発表してきた。それらを全て再読して自選し、全部で七つのジャンルに分類して本書と成した。いわば新井版の〝ふるさとへ贈る手紙〟ともいうべき本書を、ふるさとにある出版社が出版してくれることになった。ありがたいことである。

☆

本書のタイトルは、以前作った次の歌から引用した。

　ふるさとの　夕陽なつかし
　ともに見た　かの人の歌よ
　笑《え》みよ　なみだよ

かの人とは、誰のことか？　恋人か、それとも家族か。読者によって様々であろうが、私の場合は〝母〟ということになる。

私の母は、お墓参りの大好きな女であった。暇さえあれば、幼い私の手を引いて、海岸近くにある寺にもうでた。寺の墓には、父が眠っていた。母にしてみれば、亭主である。父は私が一歳半の時に急死した。だから私には父の思い出がひとつもない。

墓参りのあと、母と私はいつも海岸まで歩いた。日和山の展望塔に登り、水平線上に浮かぶ佐渡島を眺めた。母と父は知り合った頃、一度だけ佐渡島に遊んだことがあったという。よほど楽しい旅だったのだろう。

「なつかしいねぇ…」

母は、よくそう言いながら微笑した。急になみだぐむこともあった。私がふるさとを想う時、まっさきに思い出すのはこの場面なのである。海風に吹かれながら日本海を見つめる母の横顔。その視線の先には、いつも真っ赤な夕陽が沈もうとしていた。

二〇一二年一月

新井　満

目次

第七章　緑の百年物語のこと

第一章　ふるさとの街へ

超特急あさひに乗って

あれはいつの頃であったか。新潟市役所で広報を担当しているという青年が訪ねてきて相談に乗ってほしいという。

「もうすぐ上越新幹線が開通して超特急が走るようになります。そこで……」

この絶好のチャンスに、我が町新潟を全国にアピールするような素晴しいキャッチフレーズを考えてくれませんか、というのである。

「日本中の皆さん、新潟よいとこ一度はおいで、と言いたいわけか」

「一度ならず、二度でも三度でも」

「君、欲張りなやつだなあ」

「いえ、そのくらい新潟は魅力ある町で……」

「でもね、『日本美の再発見』を書いたドイツ人の建築家ブルーノ・タウトによれば、日本に於ける最も俗悪な町は新潟なんだそうだよ」

「と、とんでもありません」

タウトの論評は誤解もはなはだしいし、新潟市民にとって大いに迷惑でもある。そのような悪しきイメージを根底から払拭するためにも、それを耳にしたとたん即座に新幹線に乗って出かけたくなるような名コピーを是非とも作ってください。お願いしますよ。

郷土愛あふれる青年はそのように力説してやまないのだった。わかった。よおく、わかった。では、我が懐かしのふるさと新潟に一体どんな観光名所があるのか、そこから一緒に考えてみようではないか……。

一時間考えてみた。

何も浮かんでこなかった。

小さな名所旧蹟の類はいくらでもあるけれど、世界中に胸を張って誇れるようなピラミッドもなければナイアガラもない。新潟はきわめて地味な町なのである。

「なんにもない町だったんだなあ」

「冷静に判断すると、たしかに……」

「俗悪ですらない。ただ平凡なだけだよ」

青年の顔がだんだん暗くなってきた。こんな筈ではなかったのに。

三時間考えて、ほとんど諦めかけた頃、かすかにひらめくものがあった。

「喜べ。一つだけ見つかったぞ！」

「な、なんですか、それは！」

「夕日」

今頃の季節に新潟海岸へ行ってみたまえ。寄居浜でも日和山海岸でもどこでもよろしい。あるいは護国神社まで歩き、坂口安吾の文学碑が建つ小高い丘に登るのも一興。そうして海風に吹かれながら日本海を遠望してみたまえ。水平線上に浮かぶのは何か。佐渡島である。その彼方に沈むのは何か。巨大な梅干しの如き真紅の夕日である。いいかね、君。あれを、あの日本一美しい夕日を観光の目玉にしない手はないと思うよ……。

ところが青年、うつむいたまま顔を上げようとしない。そして呟くように言うのである。たしかに新潟の夕日は美しい。自分もそう思います。けれど夕日は、何も新潟にだけ沈むわけではありません。秋田だって富山だって松江だって博多だって、日本海に面した町ならばどこにだって沈むでしょう。いわば夕日は全国共有の財産で、それを新潟だけが独占するのはいかがなものでしょうか。私はおもむろに口を開いてこう言った。

「ちがう」

「えっ」

「ちがうんだよ。新潟以外の町に沈むのはごく普通の夕日だが、新潟に沈む夕日は〝日本一美しい夕日〟なんだよ」

「それって、いつ、誰が決めたんですか」

「たった今、僕がさ」

驚き呆れて絶句したままの青年に向かってなおもたずねた。

「もうすぐ走るという超特急の名前は？」

「あさひ号、といいます」

「それはいい。願ったりかなったりだ」

その日、私が苦しまぎれにひねり出したのは、こんなキャッチフレーズであった。

〝あさひに乗って
　ゆうひを見に行こう！〟

（「週刊新潮」一九九七・二・二七）

生まれ故郷への手紙

私が作った環境ビデオの中に〝コスモスダンス〟という作品があります。ＮＡＳＡが撮影した膨大な記録フィルムの中から、宇宙遊泳シーンを中心にコラージュしたのです。アポロ号に乗ったある飛行士は、宇宙船の窓の外を見ながらこんなことを言いました。

「地球は、荒涼たる宇宙砂漠のオアシスだ。もし僕が他の惑星から飛来した孤独な旅人であったとしても、やはりあの青い地球に降りたったろう……」

月まで行き、月に着陸し、月から帰還することによって人類は、初めて宇宙人になりました。月旅行の間中、飛行士たちは何を見ていたか。地球を見ていた。そして、自分たちが目ざす真の目的地が、月ではなく地球であることに思い至った。

〝母を尋ねて三千里〟という物語がありましたね。マルコ少年とは飛行士たちのことであり、私たち人類のことでもあったのです。旅路の果てにめぐりあえた母なる星は切なくなるほど美しかった。けれど、心細いほど小さかった。たった一人の老いたる母なる星・地球。

新潟のみなさん。「あなたのふるさとは、どちら」と、聞かれて、「私のふるさとは、地球です」と、答える日がやがて来るでしょう。いや、もうそこまで来ているかもしれない。しかし、「地球の、どちら」と、なおも問われるならば、胸を張って私は答えることでしょう。

「アジア大陸の日本国の新潟県の新潟市の礎町の……」

なぜならば、そこが母なる土地だから。今も、母なる人が住んでいるから。

彼女の職業は助産婦です。八十七歳になります。もう堂々たるおばあさんなのに、「おばあさん」と、呼ばれることを最も嫌います。ぷんぷん怒ります。「まだまだ、若い」つもりなのです。時々くれる手紙には、「こら、風邪なんか引くな」と、書いてあります。「ちゃんと腹巻をしておるか」とも書いてあります。母はいくつになっても母で、子はいくつになっても子なのです。

ふるさとの出来事は何でも知っています。母が、すぐに教えてくれるからです。

七年前、意見を求められた折、「新潟の町に観光資源が少ないというならば、皆で新しく作りましょうよ。たとえば日本海サンセット音楽祭など」と、提言したことがあります。それがこの夏は、夕日コンサートとなって大成功だったというじゃありませんか。

やりましたね。ついにやりましたね。おめでとう、本当におめでとう。

また昨年秋、私の芥川賞受賞を祝う市民の会の席上、坂口安吾賞の創設を提案したところ、賛同のお手紙をたくさんたくさん頂きました。これもいつの日か実現することでしょう。私は心から信じています。

少年の頃、よく寄居浜へ行き、佐渡島に落ちる夕陽を眺めながら想像したものでした。「あの夕陽の彼方にはシベリアがあるのだな、その向こうにはヨーロッパがあるのだな。そして大西洋と太平洋のさらに向こうには、日本列島があるのだな。世界はなんと大きく、なんと小さいのだろう……」

現在の私は、新潟を遠く離れて暮しています。日本にいない時も多いのです。しかし、遠いといっても、同じ地球です。大した距離ではありません。いつでも声をかけてください。世界のどこにいても、すぐに飛んで行きます。

いや、宇宙飛行士の帰るべきところが、母なる星・地球以外になかったように、私の帰るべきところも、母の住む新潟以外にはありません。だから、きっと帰ります。

上越新幹線あさひに乗って、もう一度、あの美しいゆうひを見るためにも……。

（新潟日報　一九八九・九・二〇）

海から届いた手紙

私は新潟で生まれました。
日本海に落ちる夕陽を眺めながら育ったので、最近こんな歌を作詞し作曲しました。

まぶしいブルーの手紙が届いた
発信人は、海
封をあけてみたけれど
何も書いてなかった
けれども遠くで潮騒の音
なつかしい声がする
元気でいるかと

まぶしいピンクの手紙が届いた
発信人は、雲
封をあけてみたけれど
何も書いてなかった
けれども遠くで夕焼けの歌
なつかしい声がする
帰っておいでと

そもそも生命というものは太古、海に生まれたのだそうですね。それから私たちが今住んでいるこの日本という国は、日本列島というくらいですから、まわりはすべて海です。日本民族は海の民といってもよいでしょう。

十年ほど前、ＢＧＶ・環境ビデオを作り始めました。まだ、世の中にＢＧＶという言葉がなかったころのことです。昔から私は海が大好きでしたから、海のＢＧＶもたくさん作りました。日本中を撮影してまわりました。沖縄から北海道まで。そうして気がついたら百タイトル以上のＢＧＶ作品が出来上がっていたのです。

瀬戸内海のある小島で見た海岸風景の美しさがどうしても忘れられず、何年ぶりかで再び訪れたことがありました。

「さあ、またビデオカメラを回すぞ」

と、レンズを覗いたら、昔の風景がそこにはないのです。きれいさっぱり失われていたのです。白砂青松だった海岸は、テトラポットとコンクリートで固められた海岸に変ぼうしていたのです。そのとき私が、どれほどがっかりしたか。どれほど哀しい気分になったか……。日本は島国だというのに、自然のままの海岸線が日に日に少なくなっているそうですね。六、七年前には本土では五〇％を切り、今年あたりはもう四五％くらいしか残っていないそうですね。

日本だけではありません。同じことが世界中で起こっているらしいのです。地球上のいたるところで自然海岸の人工化がものすごい勢いで進んでいるらしいのです。やれやれ。いやはやなんとも、ですね。

はたしてそういう海から、まぶしいブルーやピンクの手紙が届くものだろうか、心配です。そうして私が作ったＢＧＶ作品が、失われてしまった海の〝遺影〟にならなければよいのだがなあ……と思わないではいられないのです。

（「自然保護」一九八九・一二）

さらば惑星

あれは何という映画であったか。「スターウォーズ」とか「砂の惑星」とか、まあそういったたぐいのＳＦ映画の一場面である。

宇宙のどこかの星。その首都の路地裏にある酒場。長旅で疲れきった主人公である宇宙貨物船の飛行士が酒場の扉を開けて入ってゆくと、そこは宇宙のあちらこちらから風に吹き寄せられるようにやってきたエイリアンたちのたまり場なのであった。

カウンターに坐った主人公はバーボンを注文する。酒ぐせの悪いエイリアンの兄弟がさっそくいちゃもんをつけにくる。頭が二つ、眼球が八つ、脚が四本という体型である。

「お若いの、どこから来なすった……？」

「来なすった……？」

全部で十六個の眼球がいっせいにじろりと主人公の方を見つめる。

「俺かい。地球さ」

「地球……？　聞かねえ星だなぁ」

「知らねえ星だなぁ」

「太陽系の第三惑星だよ」

「おい兄弟、きこえたか、太陽系だとさ」

「たは、ローカルだねぇ」

エイリアン兄弟は笑い出す。そもそも太陽系という場所が、宇宙全体から見れば田舎の田舎のもっと田舎にあるというのに、さらにまたその先の田舎から出てきたのか……といってあざ笑うのである。

エイリアンの兄が身をすり寄せてきて、なおも悪態をつく。

「ところでお若いの、あんたのふるさとの地球ってところの連中は、みぃんなあんたみてぇな顔してるのかい？」

弟の方もよだれをたらしながら、

「つまりさ、頭が一つで眼球はたったの二つしかないのかい、ええ？」

頭二つ、眼球八個のエイリアンたちにとって、頭は一つしかなく、眼球にいたってはたったの二つしかない地球からきた生きものなど、よほどの化けものと目に映ったらしいのである。このいさかいに、尻尾の生えたケンタウロス星人の美女などが加わって、話はいよいよややこしくなってゆく。とうとうしまいには、おきまりの乱闘シーンとなり、われらがヒーローである宇宙飛行士は派手な立ち回りの末に、ちんぴらエイリアン兄弟をノックアウトしてしまう。

さて主人公は、知り合った美女を助手席にのせ鼻歌を歌いながら帰ってゆくのだが、そのメロディーが「ニューヨーク・ニューヨーク」でもなく「思い出のサンフランシスコ」でもなく、ジョン・デンバーの「カントリーロード」だったので、思わず吹きだしてしまった。わざわざエイリアン兄弟に言われるまでもなく、どうやら彼は折紙つきの堂々たる田舎者なのである。

☆

「カントリーロード」の舞台は、ウエスト・バージニアであるが、そこと同じくらい田舎であるところ、即ち地球上のアジアの日本の新潟という町に私は生まれた。日本一長い河・信濃川が長野の山奥から流れ出し、北上し、やがて日本海にそそぎ込む。その河口の町で生まれた。

私が通った礎小学校は信濃川べりにあったが、中学は海岸近くにある寄居中学だった。毎日、学校の授業が終わると校門を出て、家とは反対の方角、つまり海岸の方へ足を向ける。十分ほど歩くと護国神社があり、松林の向こうに小高い丘が見えてくる。丘の上には巨石が建てられており、

ふるさとは
語ることなし

と、刻まれている。それが郷土の生んだ作家・坂口安吾の文学碑なのであった。

冬の夕方、文学碑の前に立って松林の彼方を遠望すると日本海が見えた。どす黒い鉛色というよりは、もっと深い緑色がかった海の色をしている。越後名産に笹だんごというものがあるが、あの笹をとると中から緑黒色のよもぎ餅が出てくる。その色にそっくりな日本海。眺めているうちに頭がぼんやりしてきて、吸い込まれてしまいそうである。

晴れた日には水平線上に佐渡の島影が見えることもあった。

遠くかすかに潮騒のおと。

そして松籟。

海から吹き寄せてくる風を頬に受けながら、ふと考えることがあった。

「ふるさとは、何故に語ることなし、なのか。そして語ることなきふるさととは、一体どう

いう場所であるのか……」

二つの解釈が思い浮んだ。

一つ。ふるさとを思うとき、あまりの懐しさに万感の思いが一挙にあふれ出てきて、かえってただの一言も口にできぬという求心の心。

もう一つはその反対である。どうせふるさとなどというところは、わざわざ思い出して語るに価しないひどくばからしい場所なのだという遠心の心。

どちらだろう……。

考えてもよくわからなかった。どちらも正しいようでもあり、またどちらも正しくないようでもあり、よくわからなかった。巨石に背をもたせて腰をおろし、ひざこぞうをかかえていつまでも、ただ海を眺めていた。そんなときはきまって佐渡の向こうに真赤な夕陽が沈むのである。真赤な梅干のような夕陽が沈むのである。夕陽を眺めながら考えた。

「あの夕陽の彼方にはシベリアがあるのだな。その向こうにはヨーロッパがあるのだな。そして大西洋とアメリカ大陸と太平洋を越えたもっと向こうには日本列島があるのだな。世界とはなんと大きく、なんと小さいのだろう……」

想像力のつばさをはばたかせ、地球を一周した果ての果てに見えてきたのは、安吾碑の傍に腰をおろし日本海に落ちる夕陽を眺めている自分自身のうしろ姿だったのである。

☆

ふるさと新潟で高校時代まですごしたあと東京で大学生活をおくった。就職して大阪に移り住み、結婚してからは奈良で所帯をもった。その後、神戸市内を転々とし、今は横浜に住んでいる。

コマーシャルフィルムのプロデューサーという仕事柄、日本と世界の各地をたずね歩いた。不思議なことに、どんな国のどんな土地をおとずれても異郷の地に来たという気がせず、たちまち現地の風土、時間の流れになじんでしまうのである。特に何をどう工夫するというわけではないのだが、その土地の風景の中に異和感なくはまってしまう。

「――さんて、変な人だなぁ」

「どうして」

「この土地で生まれたような顔してる」

いつもスタッフたちは首をかしげるのだ。

連中の感想があながち当たらずとも遠からずだな、と思ったのはエジプトのルクソールに行ったときのことである。

撮影隊をひきいて廃墟の神殿に入ってゆくと、門番のアラブ人が私にだけストップをかけ、中に入れようとしない。理由をたずねてみたら驚いた。

「今日の撮影を許可したのは日本人のクルーだけである」

この町に住んでいるらしいお前は、だから中に入れることはできないというのだ。

「おれだって正真正銘の日本人なんだぜ」

しかし、いくら言っても聞かないのである。

「ちがう。日本人はそんな顔をしていない」

「いやはや……」

私たちの会話を、もしあのSF映画に登場した頭が二つ、眼球が八つのエイリアン兄弟が耳にしたとしたら、一体何と言うだろう。

「日本人だのアラブ人だのと、こまかしいことをごちゃごちゃ言うんじゃないよ。どちらにしてもあんたたちは二人とも、同じ地球人なんだろう……？」

そんなふうに言うだろうか。

☆

十年ほど前から環境ビデオというものを作り始めた。富士山、北山杉、竹林、桜といった日本の自然ばかりを撮影対象にして、もう百タイトル以上のビデオ作品を作ってきた。日本の環境ビデオのあとは、いよいよ世界の環境ビデオを作ろうということになり、あれこれ考えた末に海を撮ることにした。

撮影隊を編成し、ミクロネシア最東端の島に飛んだ。その先にはイースター島と南米大陸しかない地の果てともいうべき島である。

島に一機しかないというセスナ機をチャーターし、一インチのビデオ機材を積み込み空に舞い上がった。

眼下に珊瑚礁の海が広がっていた。世界一美しいといわれる珊瑚礁である。

ロビンソン・クルーソーでも住んでいそうな無人島が見える。円形である。のび放題にのび生い茂った緑色の椰子林の外周を白砂のリングがとりまいている。太陽に反射して、ときどき眼を射るような白い光の矢を放ってくる。

白砂のリングをとりかこむのは、限りなく透明な水。その外周をスカイブルー、そのまた外周をエメラルドグリーン、最後には茄子紺とでもいおうか、数千メートルの深さにまで水をたたえたブルー・ブラックの海が広がっており、あまりに美しく見事な青と碧のグラデーションを目のあたりにした私は言葉も出ないのである。

「もう死んでもいい……」

心底から美しいと思える風景を見ることができたとき、人間はふとそう思うのかもしれない。人間はほんとうに悲しいときには意外に涙を流さない。ほんとうに嬉しいときにこそ涙を流す。眼下に展開する珊瑚礁を眺めているうちに、胸の底からこみ上げてくるものがある。傍にはパイロットもいる。スタッフもいる。みっともないから、そんな顔を人に見せたくないのだが、いくら止めようとしてもどうしても止められないのである。

人にどう思われてもいい。笑われてもいい。ともかく今の私は泣きたいくらい嬉しいのだ。ぼろぼろと涙を流しながら、私はいつまでもビデオカメラのレンズを覗きつづけたのだった。

ミクロネシア体験がここで終わっていて、このあと何も起こらなければ、後年の私が小説を書く必要もなかったろうと思う。ところがそうではなかったのだ。

すべての撮影が無事終了し、明日はいよいよ帰国するという日になった。私は撮影隊を解散し、今日一日オフにすることにした。

スタッフたちはみな町まで買物に出かけ、私ひとりだけがホテルに残り、ぼんやりと一日をすごした。

午後は椰子につるしたハンモックに横になり海風に吹かれながら昼寝をした。昼寝からさめると、いよいよすることがなくなった。

目の前にエメラルドグリーンの礁湖（ラグーン）が広がっている。少し水浴びでもするか……という気分になった。水着に着がえ、ゆっくりラグーンに歩を進めた。それからのちに起こったことは、あとで私が書いた文章をそのまま引用してみよう。


水はどこまでも澄みわたり濁り一つない。水中にある脚先が海面上からよく見える。苦労せず足の爪さえ切れそうである。しかも、淀みがない。礁湖とはいえ外洋とつながっているせいであろう。水は常に流れているのである。背ビレの赤い大きな魚がいる。小さな魚もいる。桜木の足首のまわりを右に左に泳ぎ回り逃げようともしない。

〈最後の楽園〉

そんな言葉がふと思い浮かんだ。

苦労して、はるばる来たかいがあった。恐らく世界中を捜し回っても、これほどまで美しい海はあるまい。（中略）

桜木は海の上にあお向けに寝ころぶように身体を投げ出し、大の字に浮かんだ。

実に、いい気持である。

今度は、ゴロンと反転すると、うつぶせに浮かんでみる。そしてゆっくり瞼を開く。どこまでも透き通った水の底に珊瑚が見える。と、その傍に。太陽光線に反射して宝石のように光っているものがある。何だろう……。二、三メートル先の方である。大きく息を吸い込んでもぐってみる。光るものを手づかみにして海面まで浮かび上がり、息をつぎながら改めてそれを眺めてみる。

バドワイザーの空缶だった。

（『サンセット・ビーチホテル』より）

「なんだ、宝石どころか、つまらぬものを拾ってしまった……」

というのが最初の感想だったような気がする。だが、しばらくたつうちにだんだん腹が立ってきた。空缶が沈んでいたということは、投げ捨てた誰かがいたということである。世界一美しい珊瑚礁の海に、こんなゴミを捨てたやつとは一体どんなやつだ。それはまさかキツネやタヌキではあるまい。人間だろう。

ラグーンのまんなかでプカリプカリ浮かびながら、無性に腹が立ってきた。どうしてかというと、つかんでしまった空缶を捨てるに捨てられなくなってしまったからである。もしもう一度私がそれを海に捨てたとするならば、最初に捨てたやつと同じ罪を犯してしまう。空缶を手にした私は仕方なくそれをホテルの部屋に持って帰り、水を入れ熱帯の白い花をさし、サイドテーブルの上に一輪ざしとして置いたのだった。

即席の花瓶となったバドワイザーの空缶を眺めながら考えた。

「こんなことをしていて人類は大丈夫なんだろうか。まともな二十一世紀を迎えられるのだろうか……」

私の頭に思い浮かんだのは、ミクロネシアの数十年後の荒れ果てた光景である。美しかった筈の珊瑚礁の海の底に、びっしりと埋めつくされたバドワイザーの空缶。海は死にたえている。しかし死にたえたのは海ばかりではない。魚も植物も動物もヒトもみんなみんな死にたえている。

「もしかするとこの惑星は、もう、あまり長くないのかもしれない……」

☆

帰国した私は、予定通り「珊瑚礁空撮」という環境ビデオ作品を発表して、プロデューサーとしての責任は果たしたのだが、どうも心の中がもやもやとして釈然としない。道を歩いていたり、夜、ベッドに入ろうとしていたりするとき、ふと頭の中にあるスクリーンに青い海の底に沈んでいたバドワイザーの空缶が投映されるのだ。しかも困ったことに、空缶のイメージは消えてくれるどころか、日増に鮮明となり、エイリアンのごとく増殖を始めたのである。

ついに私の頭の中のすみずみまで占領し、音も立てずにうごめいている無数の空缶たち。こんな状態では精神衛生上もよろしくない。空缶イメージを払拭するためにはどうしたらよいのか、私は頭をかかえて考え込んでしまった。いくつかのことを試てみた。その中の一つが、歌を作って歌ってみるということであった。私が作詞し、イタリアの作曲家エンニオ・モリコーネが作曲し、私が歌った「さらば惑星」という歌は、実にペシミスティックで絶望的な内容になっている。何しろ人類は二十一世紀中に地球の大自然や生態系をめちゃくちゃに破壊したあと、きわめて無責任なことに、この惑星を打ち捨てて、よその天体に向かって集団移住しようという歌詞なのだから。次に引用してみる。

飛びたつふね（宇宙船）の
窓の下に広がる

ふるさとの　山よ河よ
いつか友と遊んだ　緑の草原
今は何もかもが　死にたえた

窓に頬よせ　声も立てず
泣いている恋人よ
あの星（地球）を殺したのは
誰でもない　君とこのぼく
今は　何もかもが遅すぎる

ふねが飛ぶよ　最後のふねが
箱の形した　ぼろのふね
荒れて汚れた　ふるさとを捨て
闇のそら（宇宙）　あてもなく……

青い海よ　魚の群れよ
白い雲よ　歌う小鳥よ
世界はむかし　美しかった
光　かがやいていた……

ふねの窓の　はるか彼方　遠ざかる
ふるさとの　山よ河よ
いつか友と遊んだ　緑の草原
今は　何もかもが死にたえた

さらば　ふるさと（惑星）

（CD「尋ね人の時間」より「さらば惑星」）

恐らくふるさとの惑星を置きざりにして脱出しようとする宇宙船の名前は、ノアの箱船号とでもいうのだろう。

歌を吹き込みレコードにして発表する私のノイローゼもこれによって治癒するかと思われたが、そうはならなかった。一時的に沈静していたバドワイザーの空缶たちはしばらくするとまた増殖を始め、私の身体中に充満し、ついに爆発寸前にまで追いつめたのだった。ビデオも作った、歌も歌った、絵も描いてみたがおさまらない。いずれも帯に短かしたすきになんとやらで、無数の空缶たちを退治することがどうしてもできないのである。

仕方なく、最後の最後に原稿用紙を買ってきて文章を書き始めた。

一カ月が過ぎた。いつのまにか机の上に約百枚の原稿用紙が置かれていた。読み返してみると、どうやら小説のようである。生まれて初めて小説というものを書いたらしいのである。「サンセット・ビーチ・ホテル」というタイトルをつけ、文藝春秋の知人にそれを託したら、文學界に掲載されることになった。

それだけでも幸運なことであろうが、さらになお幸運なことは、同作品がその年の芥川賞候補作品になったのだった。ミクロネシアの海底で拾ったバドワイザーの空缶は、とうとう私を作家にしてしまったことになる。

☆

先日、久しぶりでテレビＣＦを作った。

ある企業から「環境ビデオ的なCFを作ってくれませんか」と依頼があり、しばらく考えてから引き受けることにしたのだ。

企業CF六〇秒の題名は「宇宙飛行士の帰還」。NASAから秘蔵のフィルムを借りてきて構成してみた。

アポロ号が地球から飛び立つ。月に着陸し再び地球へ帰る。暗黒の宇宙空間にぽっかり浮かんだ水の惑星。青い地球。それがみるみる近づいてくる。真白なパラシュートが開く。海面に着水する。今や遅しと待ちわびている家族たち。妻の顔がアップになる。あなた、お帰りなさい。よくご無事で……。子供たちの顔もアップになる。ああお父さん、約束通り帰ってきてくれたんだね……。感きわまってみんな涙ぐんでいる。

私はこの映像に、ある宇宙飛行士が実際に呟いたという次の言葉を付けてみた。

「宇宙船の小窓から遠ざかる地球を眺めながら、僕は最初のうち生まれ故郷・テキサスのことばかり考えていた。次には生まれた国・アメリカ合衆国のこと。しかし最後の最後には、自分が生まれた星・地球のことしか考えていなかった……」

家族と再会した場面には、こんなナレーションを付けた。

「愛する妻と、子と、

そして、地球のために……」

☆

月まで行き、月に着陸し、月から帰還することによって人類は、初めて宇宙人になったのではなかろうか。

月旅行の間中、宇宙飛行士たちは一体何を見ていたのか。彼らが終始喰い入るように見つめていたのは実は、地球だったのだ。そして最後に、自分たちが目ざす真の目的地が、月ではなく地球であることに思い至った。

思い出していただこう。「母を尋ねて三千里」という物語があったことを。マルコ少年とは宇宙飛行士のことであり、同時に私たち人類のことでもあったのだ。旅路の果てにやっとめぐりあえた母なる星・地球は、心細いほど小さく、切なくなるほど美しかったという。

私はミクロネシアの珊瑚礁で空缶を拾い、人類の二十一世紀に絶望したのだった。そうして一度はこの地球に見切りをつけ旅立ったのであった。だが今、もう一度あのふるさと・地球に帰るときがきたようである。荒れて汚れた惑星ではあるが、今もその星のどこかにはきっと、巨石に背をもたせひざこぞうをかかえながら、海に沈む真赤な梅干のような夕陽を眺めている一人の少年がいると思うからである。その少年にもう一度逢ってみたいと思うからである。

「ふるさとは、
語ることなし」

その言葉の意味を、海から吹きつけてくる風を頬に受けながら、少年は、今も自問自答しつづけている。

（悠思社『私の山河』一九九一・九・二九）

レールの先に光る海

上野駅に来たのは何年ぶりのことであろう。中央改札口の前に立つ。ここで待ち合わせをしたのだ。しかし約束の時刻まで、まだ十数分ある。雑踏の中で待つことにした。

改札口から吐き出されてくる人々と、改札口に吸い込まれてゆく人々。行き交う人々の群は、浜辺に打ち寄せては返ってゆく波さながらで、一瞬もとぎれることがない。私一人だけが行くでもなく戻るでもなく、渚の砂に埋められた一本の杭のように波に洗われている。大きな荷物を抱えた中年の男が二人、改札口から出て、こちらの方に近づいてきた。すれちがいざま、男の一人が連れに向かって何事かをしゃべった。その独特のイントネーションに聞き覚えがある。わが郷里の人々ではないか。瞬間、なるほどと合点がいった。そうか、昔、啄木がうたった心境とは、このことであったか……。

ふるさとの訛《なまり》なつかし
停車場の人ごみの中に
そを聞きにゆく

啄木のふるさとは岩手である。私のふるさとは新潟である。東北線と上越線のちがいはあるものの、啄木がうたおうとしたのは、私と同じ心境である。即ち、ノスタルジア、望郷ということ。

☆

新潟生まれの私が初めて東京に出たのは、中学三年生、春のことであった。修学旅行で東京、横浜、鎌倉、箱根とまわったのだ。夜行列車に八時間ほど揺られて、明け方、上野駅に着いた。あこがれの東京である。上野駅は、夢の玄関口であった。

二度目の上京は、大学受検のためだった。幸いにも目ざす大学に合格できたが、入学早々、激しい腹痛に襲われ救急車で病院にかつぎ込まれた。急性の十二指腸潰瘍というやつで、あわてて開腹手術を受け九死に一生を得はしたが、術後の経過が悪い。やむなく大学を休学して帰郷することになった。上野発の寝台列車に乗り、新潟に向けて出発した。こころざし半ばにして退散する自分が情けなかった。遠ざかる上野駅の灯を眺めながら、涙があふれてとまらなかった。

また、こんなこともあった。二十一歳の冬、一人の女子学生と知り合ったのだ。新潟で正月をすごした後、上京するため特急とき号の座席指定車に乗ると、私の隣りに彼女は座っていた。二人とも大学二年生であることがわかると、話がはずんだ。列車は四時間半後、上野駅に着いた。私たちはホームにおりたち、そのまま東と西に別れてもよかったのだが、なぜかそうすることがためらわれた。二人は無言のままホームに立ちつづけた。どれほどの時が流れたろう。二人は思いきったように、初めて自分の名前を名のり、連絡先を教えあった。その時の女子学生が、現在の妻というわけである。

☆

写真家のYさんと担当編集者のS嬢があらわれた。改札口を通り、十三番線に向かう。上越線の列車は、このホームに到着するのである。歩きながらS嬢がたずねてくる。

「それにしても『私のふるさと紀行』の舞台が、なぜ上野駅なんですか？」

「さあてね……」

私がふるさとを想う時、まっさきに想い浮かぶのは上野駅なのである。そして、ふるさと新潟と上野間をひっきりなしに往復していた青春時代のことなのである。私にとって上野駅は、青春の終着駅だった。同時にそれは、人生の始発駅でもあった。

「ふるさとが、一本の大きな樹木だと考えてみようか」と、私。

「ええ」と、S嬢。

「樹木の根は地下を伸びつづける。伸びつづけた根の先端にあるのが、上野駅でね……」

だから上野駅のホームに立つと、ふるさとが見える。レールの先に、ふるさとの海が光っている。


（日本エアシステム機内誌「ARCAS（アルカス）」一九九六・一二）

タウトに反論

ブルーノ・タウトによれば、新潟は日本でもっとも俗悪な都市なのだそうだ。俗悪とは低級で見聞きするに堪えないことだから、新潟に生れ育った人間としては、文句の一つもつけておかなければならない。「大きなお世話だ。ほっといてくれ。ところであんた、新潟で何を見たの？」。彼はどんな季節に訪れたのだろう。少なくとも冬ではあるまい。冬の新潟は俗悪からいちばん遠い。寒く暗く淋しく切ない。そうして喩えようもなく美しい。

久し振りに帰省したら、雪だった。駅からタクシーを飛ばして護国神社へ急ぐ。境内の丘に建つ安吾碑を見たあと、いつものように展望塔の階段を上る。松林ごしに日本海を遠望し、佐渡の島影を探すのだ。それから中心街に戻り、町一番のノッポビル、ＮＥＸＴ21の天辺から市街を鳥瞰する。雪に覆われた新潟はまるでカサブランカ（白い家）で、蜃気楼のようなこの幻想風景を、あのタウトにも一目見せてやりたかった。

（「VOICE」　一九九九・四）

川・わがふるさと信濃川

「新潟県には、日本一が二つある」

小学校社会科の時間に担任の教諭がそう言った。一つは日本最大の島であるところの佐渡島。まだ沖縄が返還される以前のことだったのだ。もう一つは長さ三五一キロメートル、日本最長の河川であるところの信濃川。

「最大と最長の、両方があるんだぞう」

若い教師が念を押すように言ったので、私たちは何だかとても得意気な気分になり、思わず胸をそらして教室の窓の外を眺めたのだった。窓の外には、その〝日本一〟がとうとうと流れていたのである。

子供たちは学校が休みになると信濃川の川べりで実によく遊んだ。冬はシベリアおろしの寒風の中で凧を上げた。夏には水遊びをした。夏の終わりに川まつりがあって二晩つづけて大きな花火が上がる。これが待ち遠しくてならなかった。

夕方、まだ明かるいうちから土手の上に茣蓙《ござ》を敷き、日が暮れるのを待つ。あぐらをかき、股と股のあいだに丼鉢をはさむ。その中には枝豆がびっしりとつまっている。茹でたてに塩をパッとふり、しっとりと汗をかいた、眼にも鮮かな青色の枝豆を指先でつまみ、口元に運んでポンポンポンポンと機関銃式に口の中へ放り込む。それを間断なくつづける。やがて河面の上に大輪の菊花が開き、

「ドーーーン」という鼓膜破りの音が天から降ってくる。子供たちは口を開けたまま惚けたように空を見上げ、その瞬間だけは枝豆を口に運ぶ往復運動をいっせいに忘れるのであった。

（「婦人之友」　一九八九・八）

長岡大花火へのメッセージ

先日『自由訳・般若心経』を出版しました。このお経は私たちに教えてくれています。万物は変化した末に亡ぶが、再び生まれ変わるということを。さて拙著の最後の方に、大きく開いた花火の写真が登場します。それを背景にして私はこんな言葉を記《しる》しました。

おお　生まれ変わった
おお　生まれ変わった
ばんざい　ばんざい　ばんざい

即ち〝花火〟とは〝再生〟の象徴なのです。長岡市の再生を心よりお祈りします。

（二〇〇六・二・十）

第二章　ふるさとの海と川、そして母のことなど

一日郵便局長受諾の弁

ある日、一通の手紙が届いた。

差出人を見ると、新潟中《なか》郵便局長・浅妻劭佶とあり、その用向きは次のようなことであった。本年四月二十日は第六十二回の逓信記念日である。一日郵便局長として来局し、局員に訓示をしてもらいたいが、いかがなものであろう、云々。

最初は、めんどうくさいなと思った。だが、差出人の住所や手紙に添付された資料など読むうちに、待てよ、という気分になり、結局、あれこれ思いをめぐらした末に、喜んで引き受けることにした。新潟中郵便局・一日郵便局長を受諾した理由は、三つある。

☆

まず、一つ目の理由。

ペリーの黒船が来航してから五年後の一八五八年、通商条約によって開かれたのが三府（東京、大阪、京都）と五港（横浜、長崎、函館、新潟、神戸）であった。開港にあわせて五港には〝郵便役所〟が置かれたのだが、その一つが現在の新潟中郵便局の前身であったという。これにはいささか驚いた。つまり日本最古の歴史と伝統を秘めた郵便局から、一日郵便局長の依頼を受けたことになる。

しかも初代の一日郵便局長は、あの会津八一なのである。記録によれば、昭和二十七年、八一は「前島密と私」という格調高い講演をしたという。八一から数えて二十六代目の一日郵便局長になれと言われたわけで、これは相当に名誉なことではなかろうか。

☆

二つ目の理由。

新潟中郵便局は、市内東堀通七番町にあり、私の生家は、ここから信濃川の方角に向かって五分ほど歩いた礎町にある。生家には母がいて、昨春九十一歳で亡くなったが、死ぬまで現役の助産婦であった。そうして礎町は、新潟中郵便局の管轄区なのである。

生家から海岸近くにある寄居中学校に通学しようとすると、どうしてもこの郵便局の前を行き来することになる。つまり少年時代、もっとも慣れ親しんだ郵便局なのである。そればかりではない。大学入学と同時に故郷を離れてから三十年。その間、無数の手紙を故郷の母と交わしてきたが、それらは全てこの郵便局を経由していたことがわかった。世界で一番世話になった郵便局からの依頼を、誰が断われるだろう。

☆

三番目の理由。

一日郵便局長を受諾した最大の理由は、母からもらった一通の手紙にしるされている。昭和六十二年二月十三日の消印のある手紙を次に紹介したいと思う。

「さて、この間電話で話をしたことだけれども、私の知っていることを書きましょう。」

これは小説を書くために、先祖のことを、つまり母の母のことを電話で問い合わせた、その回答の手紙なのだ。

「私の母は、明治元年生まれです。母の生まれた場所は、新潟市東堀通七番町。苗字は片田。明治になるまで御用商人でいろいろな品物を納めていました。今の郵便局がまだ今のように大きくなる前、この辺りには三軒ほど大きな家がありました。局が移転してきて、大きくなるので国が買い上げたのでしょう……。」

調べてみると、新潟中郵便局の前身は、明治四十五年六月に、東堀通七番町に局舎を新築し移転している。当時の建築費で、八万九三七〇円也。

☆

なぜ私が新潟中郵便局・一日郵便局長を引き受ける気になったか、これでおわかりいただけるであろう。遠い昔、私の先祖が住み暮していた土地の上に、なんとこの郵便局は建っているというのだから。

〈おやまあ……。なんと不思議なご縁だろう〉

私は一種名状しがたい感慨にふけりながら、一日郵便局長の依頼、喜んで引き受ける旨、返辞を出したのだった。

（「郵政」一九九五・八）

心のふるさと
―礎小学校閉校に寄せて―

私が礎小学校に入学したのは昭和二十八年（一九五三年）四月で、卒業したのは昭和三十四年（一九五九年）三月だから、第五十七回目の卒業生ということになる。

入学当時の校長は重野幸先生であった。大きなガラガラ声の方で怒ると怖かったが、話し上手でもあったと記憶している。

一年生二年生の担任は皆川三男三先生であった。皆川先生は当時おいくつであったのだろう。子供の眼には既に中年と映ったが、案外もっとお若かったのかもしれない。あれから四十五年が過ぎたが、今もお元気であると風のうわさで聞いた。嬉しいかぎりである。

二年生の夏に少々ややこしい病気にかかり、二学期をまるまる休んでしまった。おかげで算数の基礎（引き算のやり方だったと思う）を習いそこねた。教師たちは私のことでかなり頭を悩ませたらしい。

「この子を、このまま三年生に進級させて大丈夫なのだろうか……」

進級会議を開いて相談した結果、

「少々ぼんやりしたところはあるけれど、なにせ文房具屋の息子だからねえ、なんとかついていけるのではないか……」

かろうじて進級できることになった。文房具屋の息子なら、足し算や引き算は得意だろうというわけだ。

病みあがりのせいで、三年生四年生は虚弱児童ばかりを集めた養護学級に組み込まれた。担任は草村トヨ先生である。

草村先生はものごしがやわらかく、いかにもやさしい声でしゃべる方であった。しかし、話の内容や語尾にあいまいなところがない。きっと男先生以上に芯のしっかりした方なのだろうと、子供心に感じたことを覚えている。

五年生六年生になると、私の体力はかなり回復した。いや、それどころか体重も人一倍増え、背丈もみるみる伸びた。クラスの席順は最後列になった。

当時は大相撲が大ブームで、子供から老人にいたるまで話題といえばもっぱら「若之花と栃錦とは、どっちが強いか」ということであった。小学生もその例外ではない。休み時間になると、私たちは待ちかねたように校庭へ飛び出してゆく。棒キレで円を描き、即席の土俵をつくっては相撲をとった。来る日も来る日も飽きることなく相撲をとった。そのうちだんだん強くなり、とうとう負け知らずになった。

一年後、進学した寄居中学校で校内相撲大会が開かれた折、私は優勝して横綱になったのだが、あれだけ相撲をとっていたら、それも当然だったかもしれない。

☆

五年生六年生の担任は田中久夫先生であった。大学を出たばかりのまだ若い先生で、理科が専門だった。田中先生とはよく化石の採集に行った。ハンマーで岩石を砕くと、パカッと二つに割れた岩石の内側から、長いあいだ封じ込まれていた生きものたちの奇妙な紋様があらわれる。時空をこえて太古の時代がよみがえる、息を呑むような瞬間だった。

五年生と六年生の音楽は、藤田秀夫先生が教えてくれた。藤田先生が指導する合唱クラブにも入った。

『菩提樹』(一九五六年独映画)で一躍その名を世界に知られたウイーン少年合唱団が来日したのは、ちょうどその頃のことである。しかも、はるばる来港し、新大附属中学の講堂で公演するという。世界一有名な合唱団のコーラスを、レコードではなく生で聞けるのだ。千載一週のチャンスとばかり、私たち合唱クラブの面々は、胸を高鳴らせながら公演にかけつけたのだった。

公演の曲目はあらかた忘れたが、『モーツアルトの子守唄』を聞いたことだけはよく覚えている。

帰途、合唱クラブの面々が無言で歩いていると、誰かが打ちのめされたような表情で、ぼそりと呟いた。

「すごいねえ、さすがだねえ、俺たちなんか連中の足元にも及ばないねえ……」

すると、メンバーの一員である岩永守登君がすかさず切り返してこう言った。

「同い年の少年たちにひるむことはないさ。あのていどのハーモニィなら、俺たちにだって十分できるよ」

私はその時、どちらの意見に賛成したのだろう。どちらも正しい、そう思いながらとぼとぼ歩いたのであったか、よくわからない。

岩永君は現在、新潟市内で医院を開業しているという。今でもあの頃のように歌を歌っているだろうか。

☆

ところで私の実家は、礎小学校南門の真正面に位置するイチマル文房具店である。職住近接ならぬ学住近接で、六年間で遅刻というものをしたことがなかった。礎の鐘が鳴り始めてから家を出ても、ゆうゆう間に合ったからだ。

〝イチマル〟という屋号を持つこの文房具店は、終戦直後、父が開業した。ところが開業早々、急死してしまったので、母があとをつぐことになった。

私の母は、元々は助産婦で、ざっと数えて七十年の間に新潟市中の何千人という赤ん坊を取り上げた。赤ん坊たちの多くは、成長し学業年齢に達すると礎小学校に入学した。自分が取り上げて産湯を使わせた赤ん坊が、今度は一年坊主という小さなお客様となって店頭にあらわれるのだ。そうして六年後には生意気ざかりの中学生となって卒業してゆく。

母は、文房具店をついで本当に良かったと喜んだ。子供たちの成長ぶりを見るのが、何よりも嬉しかったからだ。それが唯一の生きがいと言っても良かった。そこで母は、嬉しいにつけ悲しいにつけ、子供たちに会うと何かと理由を見つけてモノをあげようとした。「イチマルに文房具を買いにいったら、逆にイチマルのおばあちゃんから鉛筆や消しゴムをタダでもらってしまった……」

戦後生まれの卒業生であるならば、そういう体験をされた方も少なくないであろう。母は、そういう人間だった。商売は下手だったが、生涯、子供たちを愛した。そして子供たちからも慕われた。忘れてはいけない。その母もまた、礎小学校に学んだ卒業生の一人なのである。

☆

高校を卒業すると新潟を離れ、以来、三十五年の歳月が過ぎた。その間、年に数回は帰省した。私が帰省するということは、礎町の実家で暮らす母に再会することであり、同時に実家の前に建つ母校・礎小学校を再訪することであった。

その母も平成六年（一九九四年）二月に亡くなり、今また礎小学校も九十六年の歴史に幕をおろそうとしている。

母と母校……。私は二つの〝母〟をあいついで失うことになる。

☆

さて、現在の私は小説を書いたり環境ビデオをつくったり作詞作曲したりと、様々なことをしているが、その一方で、あと一カ月後にせまった長野冬季オリンピックの仕事もしている。イメージ監督として、開会式や閉会式の台本を書いた。二月二十二日（日）には閉会式が行われるが、その最後にあの昔の小学校唱歌『故郷』を、五万人の観客全員で歌うことにした。

「うさぎ追いし　かの山
　小鮒つりし　かの川……」

『故郷』の一番を歌いながら私が思い出すのは、きっと越後山脈を遠望するふるさと新潟の町並や、とうとうと流れて日本海にそそぎこむ信濃川のことであろう。

「いかにいます　父母
　つつがなしや　友がき……」

二番を歌いながら胸に去来するのは、おそらく礎小学校前の小さな文房具店の女主人であり、九十一歳で亡くなるその日まで現役の助産婦でもあった母の人生と、そして友人たちの懐かしい横顔だろう。

「志を　はたして
　いつの日に　帰らん……」

三番を歌いながら思い浮かべるのは何だろう。それはもしかすると、礎小学校の校舎で学び校庭で遊んだ、化石と相撲と音楽が大好きだった少年時代の自分の姿であろうか。進級を危ぶまれた八歳の少年も、今や五十一歳の初老である。ぼんやりしたところは、昔も今も変わりはないけれど。

もはやふるさとに帰っても、そこには母もいなければ母校もありはしない。愛していたものが、この世から消滅するのだ。こんな哀しいことはない。こんな切ないことはない。

だが……、たとえ一切の〝記録〟が失われたとしても、〝記憶〟まで失われるわけではなかろう。私が生きているかぎり、それは死なない。ますます鮮明な記憶となって、胸の中で生きつづけるはずである。

母と母校・礎小学校……。それは私にとっていつまでも決して亡びることのない〝心のふるさと〟なのだから。


（「礎小学校閉校記念誌」　一九九八・一・七）

ふるさとの海と川、そして母のことなど

私は昭和二十一年の五月に生まれた。

作家になってからのことだが、自分の誕生日から、日本人女性の平均的妊娠期間、いわゆる十月十日《とつきとうか》を逆算するといつになるのだろうと、たわむれに計算してみたら、

〝昭和二十年八月十五日〟

という日付けが出てきた。

正直なところこれには驚いた。言うまでもなく終戦の日である。私はその日のことをあれこれ想像してみた。暑かったというその日の天気のこと。ラジオの雑音がひどくてよく聴きとれなかったという玉音放送のこと。そしてまだ若かった父と母のこと。

もし戦争がまだつづいていたとしたならば、たぶん私はこの世に生を受けなかったろうと思う。時代が、私を産んだ。純粋戦無派第一号を自負する所以である。

礎町通り二の町の実家で産湯をつかった。眼前に礎小学校の正門があった。校舎はまだ木

造であった。実家は〝イチマル文房具店〟という看板をかかげていた。学校の傍には、よく小さな文房具店を見かけるものだが、まさしくあれである。

終戦の頃、私の父は萬代《ばんだい》百貨店（今の大和百貨店の前身）に勤めていたのだが、一念発起して独立、店を開いた。ところが開店早々に体調をくずし、新潟大学病院に入院したのもつかのま、急死してしまった。享年四十二。私は一歳半だった。したがって私に、父の記憶はひとかけらもない。

学校町に母方の親戚がいた。母はよく私の手を引いて、この親戚の家へ遊びに行った。行く時は新潟交通のバスを利用した。バスが白山神社あたりにさしかかると、右手の窓外に大学病院の古めかしい建物が見えてくる。すると母は、毎回必ずといってよいくらい私の耳元に顔を寄せ、ささやくのである。

「あんたの父さんはね、あそこのあの建物の中で亡くなったんだよ……」

私は後年、小説『尋ね人の時間』の冒頭にその頃のかすかな記憶をたよりに次のような文章を書いている。

「坂道をのぼり切った高台の天辺に大学病院の建物が見えた。（中略）高台の上を横に長く伸びた建物の中央に、時計を配した尖塔があり、それは晩夏の夕空を鋭く突き刺していた。

翼を広げてあたりを睥睨《へいげい》する太古の巨鳥のようである……」

本書に収められた昔の写真を見ると、太古の巨鳥という不気味な描写は少々大げさに過ぎるとは思う。しかし、父を失って自分の将来におよそ明るい展望をもつことができなかった少年の心細い眼には、まさしくそのように映ったのであろう。

☆

母は、明治三十五年（一九〇二年）に生まれた。明治の初期、母の実家は現在の中郵便局があるあたり一帯を有する大きな商家だったのだが、没落して郵便局に売り渡したのだということ。

母は若い頃、職業婦人になることを決心して、高橋産科病院や長谷川病院（今もホテル・イタリア軒の左隣りにある）に勤めた。助産婦の国家試験に合格したのが大正九年、十八歳の時で、翌春には看護婦試験にも合格した。二十五歳で独立、自宅で開業することにした。黒地に金文字で〝産婆〟と書いた大看板を玄関にぶら下げたのである。

三十六歳で父とお見合い結婚をし、翌年兄を産み、七年後私を産んだ。そうして昭和二十三年の冬、突然、夫に先立たれてしまう。幼い子供二人をかかえた母は、さぞかし途方に暮れたことであろう。しかし彼女には産婆という収入源があった。夫が残してくれた小さな文房具店もあった。

産婆と文房具店主というのは妙な二足のわらじに思われるかもしれないが、今考えるとすぐれて合理的な組み合わせでもあった。折からの第一次ベビー・ブームである。母が取り上げた赤ん坊たちは、就学年齢になるとピカピカの一年坊主、即ち小さなお客様となって文房具店にあらわれたのだった。産婆業も文房具業も大いに繁盛したというわけである。

商店兼自宅の前を走る砂利道を東に向かってしばらく歩くと信濃川につきあたる。幼年時代、河べりの草原で朝から晩までよく遊んだ。西部劇映画が全盛の頃で、町内の子供たちはカウボーイ組とインディアン組とに分かれ、壮絶なたたかいをくり広げるのだった。

冬になると、よく凧を揚げた。万代橋・下手の土手から河面に向かって糸をゆるめると、凧は河風に吹き上げられて面白いように天高く舞い上がった。

「俺の凧糸は、万代橋より長いぞ」

そんな大風呂敷を広げる鼻たれ坊主もいた。

☆

そうだ、万代橋のことを少し書いてみよう。私にとって万代橋といえば、昔も今も石の橋に決まっているのだが、母がしてくれた昔話に登場するのは、まだ木の橋なのである。

「あれはわたしが五歳の春だったかな。橋向こうまでおつかいに行ったんだわさ……」

少女時代、彼女の養父はひどい喘息持ちで、かかりつけの医者が橋向こうの沼垂《ぬったり》にいた。養父の薬をもらいに出かけたということらしい。紺絣の着物姿である。はて、履物はどうしょう？　と考えた末に、普通の下駄ではなく、買ってもらったばかりのぽっくり下駄を履いて行くことにした。万代橋の往復といえば、少々遠出である。どうせなら楽しく行きたい。赤い鼻緒のついた可愛らしいぽっくり下駄をぽっくりぽっくりと音立てながら、彼女は木の万代橋を渡っていった。

さて、沼垂の医者から薬をもらった帰途、再び万代橋にさしかかると、橋のたもとで腰をおろし一服している大八車の男が声をかけてきた。

「お嬢ちゃん、どうせ空車《から》だ。向こうまで乗せてってやろうか」

ちょうど疲れてもいた。渡りに舟とばかり大八車に乗せてもらい後向きに座った。後尾から両足をぶらぶら揺らせながら、木の橋をがたがた揺られてゆく。五歳の彼女は嬉しくてならない。空は青いし、河風は気持良い。足先で揺れている真赤な鼻緒を眺めているだけで、なんだか楽しい気分になってくる。

「それでちょっと油断したんだわさ」

大八車が、万代橋のちょうどまん中あたりにさしかかった時である。足を大きく振り上げた拍子に、右足のぽっくり下駄がぽーーんとすっぽぬけてしまった。そのまま欄干を飛び越えて信濃川にぽちゃん。あわてて荷車から飛びおりて、欄干越しに眼下を見ると、真赤な八文字が河波に浮きつ沈みつしながらみるみる遠ざかってゆく。

「こらあ、わたしのたいせつなぽっくり下駄あ！　かえってこおい！　もどってこおい！　大声で叫んだんだけどね、もどってくるわけないよね、あははは」

母はそう言うと懐かしげに笑うのだった。彼女はこの昔話を私にしてくれてから半年後に亡くなった。九十一歳だった。

☆

少年時代、何よりの楽しみは映画だった。市内有数の繁華街、金比羅通りには洋画封切り館の花月劇場があった。母と一緒にこの映画館で観た映画は、今でもよく覚えている。『赤と黒』『リチャード三世』『ロミオとジュリエット』『文なし横丁の人々』『やぶにらみの暴君』『屋根』などきりがない。

『鹿皮服を着た男』の時は、ハリウッドからデビー・クロケット役の俳優が舞台挨拶をしにきた。遠来のスターを一目見ようと群衆が押しかけ、劇場周辺は身動きがとれなくなってしまった。

市内には他にライオン劇場、宝塚劇場、東映劇場、東映パラス、新潟松竹、SY松竹、グランド劇場、サン劇場などがあったが、どの映画館にもよく通ったものである。

古町にあった大竹座では、ジェリー・ルイスとディーン・マーチンのどたばた喜劇がよくかかった。ダニー・ケイ主演ものも楽しみだった。昭和三十年代まで市内各所に点在していた映画館とは、私にとってわくわくと胸おどらせてくれる夢の宮殿であった。小説家になった遠いルーツを探るならば、結局、映画館の暗闇に辿り着くのではなかろうか。

☆

少年時代の夏の楽しみといえば海水浴である。寄居浜や日和山海岸へよく泳ぎに行った。日和山には古ぼけた展望台があって、今にも崩れてきそうに傾いていた。小説『ヴェクサシオン』の終章でこの建物のことを、私は次のように書いている。

「松林を抜けると砂地になり、なおしばらく行くと小高い丘の上に螺旋階段をめぐらせた石造りの塔が立っていた。二人は声を出して数を数えながら螺旋を登った。石段は、全部で四十四段あった。

『ここから見る日本海が、一番好きなの』

屋上に出ると彼女が振り返って言った。海は、小雨に濡れながら灰緑色にうねっていた」

海水浴の季節が去ってからも、私はよく海岸に出かけた。たいていは一人で、自転車に乗って行った。しかし、海岸で何をするというわけではなかった。ただぼんやりと日本海を眺めてすごした。そうして佐渡島の彼方に沈んでゆく夕陽を飽かず見つづけた。

私の処女作の題名は『サンセット・ビーチ・ホテル』という。小説の舞台はミクロネシアであるが、そこへ行ってもそのような名前の海岸があるわけではない。

物語を構想した時、私の脳裏にまず浮かんだのは、ふるさとの海岸だった。季節はずれの浜茶屋だった。砂に埋もれつつある展望台だった。そうして世界中を真赤に染めながら日本海に落ちてゆく巨大な梅干しの如き夕陽だった。そのイメージが鮮明になった瞬間、私は処女作の第一行目を書き出していた。


（郷土出版社『新潟市パノラマ写真館』一九九九・四・三）

逃げるが勝ち

天変地異や大災害に遭遇しやすい体質、あるいは運命といったものがあるのだろうか。これまでの人生を振り返るたびにしみじみ思うのは、〈自分ばかりが、どうしてこんなひどい目にあわなければならないのだろう……〉ということ。

私のふるさとは新潟である。

新潟は、比較的災害の少ないおだやかな土地柄のように思われてきたふしがあるが、それは大きなまちがいで、まず、九歳の秋に新潟大火があった。市役所から失火した時、それはほんの小さなぼやでしかなかった。ところが不運なことに折からの強風にあおられて大火事となり、とうとう一昼夜も燃えつづけ、市内中心部は焦土と化した。

炎がすぐ隣の町内まで迫ってきた時、母は観念した表情でこう言った。

「今までがんばってきたけど、もうだめらしいね。逃げるしかないようだね……」

同じ町内に自動車修理工場を営むTさんという人物がいた。Tさんの好意で私たち親子は

Ｔさんのトラックに乗せてもらい、避難することになった。降りそそぐ火の粉をあびながら走るトラックの荷台に立ち、後方を振りかえって見ると、わが家のある方角がみるみる黒煙に包まれてゆく。無念だった。悔しかった。情けなかった。

〈さようなら〉

心の中でそう呟きながら、ただ泣くしかなかった。だが、どうすることもできない時は、やはりどうすることもできないのである。

☆

新潟大地震が起きたのは、高校三年生の時であった。市内の道路はいたるところで隆起陥没し、天地創造の映画でも見せられている心地だった。完成したばかりの昭和大橋は落橋し、四階建てのアパートは横倒しになった。石油の原油タンクは次々に爆発炎上し、どうしても消すことができない。結局、三六〇時間も燃えつづけた。

私が通う高校の校舎は信濃川の岸辺にあった。地震直後、信濃川の水が一瞬ひあがり、そこに日本海の海水がものすごい勢いで逆流してきた。クラスメイトの誰かが、突然、

「津波だああ！」

と悲鳴をあげながら駈け出した。校庭に避難していた生徒全員がそれにつづいた。

「逃げろ！」と教師。

「どこへ？」と生徒の誰か。

「どこでもいい。とにかく逃げろ！」

火攻め水攻めの果てに命からがら帰宅すると、わが家は泥水の底に沈んでいた。

☆

それから今日に至るまで、災害にあった体験を数えあげればキリがない。次に書くのは、三年前のことである。北海道は大沼湖畔、駒ヶ岳の中腹に小さな山の家がある。その日の朝、ベッドで寝ていると、すぐ傍らを戦車でも通るような地鳴りがする。驚いて外に飛び出した。〈まさか〉と思いつつ仰ぎ見ると、駒ヶ岳の頂上付近に噴煙が上がっている。

「噴火だ！　逃げろ！」

隣の一家は、大慌てで車に乗り込み、走り去った。私と妻は徒歩で逃げた。なぜかというと、車がなかったから。

☆

五十五歳の私が、突然、自動車の免許を取ろうと決心したのは、たぶんこの時の体験がきっかけになったのだと思う。逃げたくても、車がなければ話にならない。たとえ車があっても、運転できなければ、怪我人一人助けることすらできないではないか。火事と津波と噴火からもっと上手に逃げるために、今日も私は自動車学校に通う。

（「国づくりと研修　94」　二〇〇一・秋）

生まれる前に見た風景

文芸家協会の総会に出席するために東京会館へ行った。終了後の懇親会で酒を飲んでいると、文芸春秋の湯川豊、雨宮秀樹の両氏がこれからホテルオークラへ行こうと誘いにきた。第二回の三島賞に大岡玲さんが決まったというニュースがたった今流れたので、早速祝いに駈けつけようというのである。大岡さんの受賞作は文学界に発表されたもので、その新旧編集長である両氏にとって今夜のことが嬉しくないわけがない。ただ、大岡さんと私は一面識もなかった。面識のない相手と逢うのは甚だ億劫なものである。だがその夜は自分にしては珍しく心が動いた。発表二作目にして三島賞をかっさらった男とは一体どんなやつだろう……。

痩身の憂鬱顔を想像していたら、見事に外れた。大岡さんは七十キロの体の持主で、まんまるな顔にいつも微笑を絶やさない。

「フットボールが大好きで」

などと言う。

オークラでの記者会見が終わった後、五人の編集者と私とが大岡さんを囲み、お祝いの乾杯をすることになった。飲み交わすうちに話題はやはり文学のことに及び、

「最近の作家は文学的バネなしに小説を書く」

という話になった。言われてみればその通りで、かつての三大バネ、貧乏、女、病気から遥かに遠い場所で現代の作家たちは小説を書いている。きっと私などは、そのバネなし作家の典型かもしれないなァ……、そう言いかけると、いや、そうとも限らぬと、誰かが助け舟を出してくれた。例えば〝尋ね人の時間〟のコンセプトは、終戦後四十三年の間に喪失した自分を捜し出すということだろう。つまり豊饒の内なる空洞こそを文学的バネとして書きつ

づけようと思う、といった趣旨の演説を芥川賞授賞式でもしたではないか。

それで思い出したのは、私の誕生日のことである。私は昭和二十一年五月にこの世に生を受けた。しかし誕生日というのは、あくまでも誕生日でしかないのであって、一個の生命体としての私が真実に活動を開始した日ではない。誕生日から遡ることいわゆる十《と》月《つき》十《とお》日《か》、正確には二六六日逆算すれば、父と母のその日がわかる。たわむれに計算してみたら昭和二十年八月十五日……。

「つまり玉音放送が行われた終戦の日、まさにその日こそが自分にとっての文学的バネなのでありまして」

半分笑いながら私がそう言うと、すかさず、

「もしも正確な時刻を特定するならば、それは玉音放送の事後ですか、事前ですか」

と尋ねてくる者がいる。さすがの私も、その時刻まで考えたことはなかった。しかし事後と事前とでは、意味がまるで違う。

「待てよ、玉音放送の真最中ということも考えられるなァ」

大岡さんがふと呟くように言った。次の瞬間、全員がギョッとした表情で彼の顔を見た。

この世に誕生する二六六日前の私は、子宮の奥の暗がりから一体どんな風景を垣間見たの

だろうか。ちょっと恐い話になってきた。

（「群像」一九八九・七）

末期の眼球に映る風景

机の上に置いてある一冊のノート。

この分厚い黒色のノートは、云わば私的な映画鑑賞記録帳とでもいうべきもので、映画を一本見るたびに、自分が決めたルールにしたがって簡単なデータを記入するのである。即ち、その映画を見た月日、映画の題名、映画館の名前、通算何本目か、以上である。感想のたぐいは一切書かない。無理に書こうとすると中断するおそれがある。心理的な負担を出来るだけかけないようにするのが長続きの秘訣らしい。事実、この方法で映画ノートを付け始めてから三十年になる。ためしにノートを開いてみる。こんな記録がある。

一九七三年（昭和四十八年）七月二十三日（月）
ソイレント・グリーン
阪急プラザ劇場
年度内通算四十九本目

ノートの上では、わずか一行の記述である。だが、この一行があるおかげで思い出されてくる記憶は意外に少なくない。一九七三年は川上巨人軍がV9を達成した年であった。〝神田川〟がヒットし、花の中三トリオがデビューし、金大中事件が起きた。秋には第四次中東戦争が勃発し、世界中がオイルショックに見舞われた。トイレットペーパーの買いだめに走った方もおられるのではなかろうか。

〝ソイレント・グリーン〟というのはMGMが作ったSF映画で、舞台は二〇二二年のニューヨーク。世界中が人口爆発と絶望的な食糧不足で苦しんでいて、市民たちは、朝夕、行列を作り、政府が支給する緑色の未来食を食べて生きている。それがソイレント・グリーンなのだが、実は死んだ人間の肉を加工して作ったものであることが、主役チャールトン・ヘストンの大活躍によって暴き出されるというのが荒筋である。

今でも鮮明に覚えている一つのシーン。

エドワード・G・ロビンソン扮する老人が登場する。生きる気力を全て失った彼は、政府が奨励する安楽死センターへ行き、そこで係の看護婦から次のように質問される。

「おじいさん、あなたは人生の最後に、どんな音楽を聴きたいですか」

老人は、ベートーベンの〝田園〟と答える。

やがて音楽が鳴り出すと、老人の眼前にあるワイドスクリーンに様々な美しい風景が映しだされる。草原、咲き乱れる花々、谷川のせせらぎ、青い空、そして海に沈んでゆく真赤な夕陽。それを眺めながら老人は注射を打たれ、安楽死の眠りにつく。

「二流のＳＦ活劇だな……」

当時は、そう思った。だが十六年たった今、地球の環境破壊はあの映画を笑えないほどひどいところまできてしまった。それればかりではない。後に私は、日本の大自然を撮影したＢＧＶを作るまでになった。

私は臨終のとき、ＢＧＶは〝桜〟にしようと思う。ＢＧＭの方は一応サティにしてあるが、これはまだ変わるかもしれない。

（「群像」一九八九・九）

第三章　安吾あちらこちら

安吾の丘に吹き渡る風

私の郷里は新潟で、新潟が生んだ作家といえば、誰よりもまず坂口安吾の名前を挙げねばならない。

私が通っていた寄居中学校から浜の方に向かって十分ほど歩くと護国神社につきあたる。松林に囲まれた小高い丘の上に登ると巨石が建てられており、

ふるさとは　語ることなし

と彫られている。それが安吾の文学碑なのであった。松林の彼方を遠望すると日本海が光っている。天気の晴れた日には、水平線上に佐渡島の影が見えることもあった。

遠くかすかに潮騒の音。

松籟。

松の枝を吹き揺らして、だんだん近づいてくる風のかたちが見えるようだ。

近年、安吾は日本近代文学史上ますます大きな存在になりつつあるが、それほど昔の人物

ではない。例えば一九四六年生まれの私は、一九〇六年生まれの安吾と四十歳しか違わない。安吾がもし今生きておれば八十三歳ということになるから、それほどべらぼうな高齢とも云えない。私の母などは本年八十七歳になるが、今でも元気に新潟で暮している。四十九歳で安吾はあっけなく死んでしまった。文字通りの早死にであった。

放課後になると決まったように安吾の丘に日参した中学一年生の私は、そこで何を考えたのだろう。なんにも考えたりはしなかった。芝生の上に碑を背にして坐り、ただぼんやりと日本海を眺めた。頭の中がカラッポになり、その空洞を風が吹き抜けて行った。夕陽が沈むのを待ってようやく腰を上げ仕方なく家路についた。

自分が、もっとも自分になれる場所。

だが不思議なことに、安吾の丘で安吾を読むという気持にはついにならなかった。

三十年が過ぎた。

人間の運命とは皮肉なもので、ひょんなことから文章を書くようになり、気がついたら私は作家と呼ばれるようになっていた。

あるとき〝ヴェクサシオン〟という小説を書くために、世紀末フランスの作曲家・サティの文献をあたっていたのだが、古書店の棚にジャン・コクトー著〝エリック・サティ〟という本を見つけた。その表紙を見て仰天した。坂口安吾・訳となっていたからである。

昭和六年、安吾は二十五歳の五月に〝エリック・サティ〟を翻訳し、サティに影響されて書いた〝風博士〟を六月に発表している。これを牧野信一が激賞し、安吾はファルスの作家として華々しく文壇に登場することになる。

おやおや……。安吾も私もサティから出発していたのか。私は大きな回り道の後に、云わばフランス経由で郷里の先達と再会したのであった。

サティのピアノ曲を聴いていると、郷里の安吾の丘が想い出されてくる。丘の上ではいつも無口な少年が、ただ風の音を聴いている。

（「群像」一九八九・八）

坂口安吾記念館と坂口安吾賞の設立趣意書

坂口安吾は、風の人であります。

処女作「風博士」以来、天上大風に思いを馳せた遺作「安吾新日本風土記」に至るまで、彼の眼前には常に風が吹いておりました。

そればかりではありません。いつしか安吾は、みずから疾風と化して、音楽映像文学等々あらゆるジャンルの芸術王国を眼下に見据えながら、次々にその領空を侵犯し、遂に前人未踏のアルカディアへ到達したのでした。

私たちは心より安吾を敬愛し、誇りに思うものであります。しかしそれは、彼が故郷新潟の先達であったからではありません。安吾の故郷とは、むしろ日本でした。いや、地球というこの惑星でした。彼こそは絶望と虚妄の時代にあっていささかも屈することなく、正義と変革の嵐を命がけで巻き起こしてきた、希望の先達だったのであります。

昭和三十年、安吾は四十九歳にして世を去りました。だが、彼は今も生きています。私たちの精神の奥底に屹立する巨大な道標となってますます鮮かに生きています。

安吾という、この見えざる道標を形にしたい……。そして未来の日本と世界に伝えたい……。

二十一世紀に生きる私たちと私たちの子供たちのため、今ここに坂口安吾記念館と坂口安吾賞の設立を提唱いたします。

右の趣旨にご賛同の上、ご協力を賜わりますよう心よりお願い申し上げます。


（一九九三・三・三〇）

安吾とサティ

安吾は、なぜ安吾になったのか。

まだ無名で何者でもなかった若き坂口安吾は、いかにして作家安吾になることができたのか。それには様々な原因や理由が考えられるが、とりわけ作曲家サティの存在を忘れてはならないと私は思う。無論、サティを知らずとも、安吾は一流の作家になったであろう。だがそれは、私たちが敬愛する安吾とは全く別物の安吾に違いないのだ。作家安吾の誕生に決定的な役割をはたしたサティとは、どんな人物なのか。あまり知られていない二人の関係を、私自身の体験をからませながら書いてみよう。

☆

フランスの作曲家エリック・サティは、一八六六年、ノルマンディー地方の港町オンフルールで生まれ、一九二五年、パリ市内の病院で死んだ。享年五十九。世紀末のパリに生きたサティは、いつも禿頭に山高帽子をかぶり、鼻眼鏡、黒服姿で晴雨にかかわらず蝙蝠傘《こうもりがさ》を持ち歩き、モンマルトルの居酒屋〝黒猫亭〟などに通ってはピアノを弾いていた。

生涯貧乏で独身だったが、二十七歳の時、一度だけ浮名を流した。相手は子連れのモデル、シュザンヌ・ヴァラドンで、後年、彼女の息子は画家となりユトリロと名乗った。

サティは、筋金入りのダダイストでもあった。彼が創始した〝環境音楽〟は、聞いてもいいし聞かなくてもいい、まるで家具のように控え目な静寂の音楽ということになっている。

だからといって彼自身も控え目な人物であったのでは、と誤解してはいけない。実際の彼はその正反対で、まれに見る奇人変人であった。ファルス（道化師や茶番劇）が大好きな、落ちこぼれのダダイストだった。そして異端の天才だった。

当時の音楽界を席巻していたのは、ワーグナーが作るような足し算的音楽だった。それを全否定するためにサティは、あえて引き算的な環境音楽を構想したふしがある。そうして『乾からびた胎児』や『犬のためのぶよぶよした前奏曲』といった奇妙な題名のピアノ曲を喜々として作りつづけたのだった。

☆

サティの人生は、実に面白い。私は彼を主人公にした伝記的小説『エッフェル塔の黒猫』（講談社）を書くために、たくさんの文献を集めた。その中に『エリック・サティ』（ジャン・コクトー著、深夜叢書）という本があった。翻訳者の名前を見て、仰天した。なんと坂口安吾とあるではないか。

一九二八年、二十二歳の安吾は突然、アテネ・フランセに入学し、フランス語の勉強を始めるのである。二年後、彼は友人たちと同人雑誌『言葉』を発刊し、こんな文章を書く。

「我々のもっとも重大な主張は、芸術は文学も美術も音楽も常にれんらくをとるべきだということだ。どの一つを単独に歩ませることも不可だ。そして我々は文学のみならず、美術にも音楽にも言うべき数々のことを持っている。（中略）たとえば音楽に於て、我々は初め世界中から唯一人エリックサティを選び……」

半年後、安吾は雑誌『青い馬』を創刊し、前述の翻訳文を発表したのだった。どうやら安吾は、コクトーのサティ論を翻訳することで、サティという人物にとことん魅了されてしまったらしいのである。それればかりではない。異端の芸術家として、あるいは落伍者として生きるサティの生き方に、自分と同質のものを感じたらしいのだ。

〈サティが音楽で試みたダダとファルスの手法を、もし文学の世界で試みたとしたら、一体どんなふうになるのだろう……？〉

若き安吾は、夢想したのではなかろうか。その回答が、小説『風博士』だった。これによって彼は、作家として華々しいスタートをきったわけである。四十九歳で急逝するまで、安吾はダダとファルスの流行作家として時代を駈け抜けた。安吾とは、サティの生まれ変わりだったのではないか。私は時々そう思う。

☆

安吾も私も、故郷は新潟である。

数年前、文庫本の『堕落論』一冊を持って、サティの故郷オンフルールを訪ねたことがあった。同郷の先輩である安吾がはたせなかった夢をかなえてあげたい……。そんな思いもあったかもしれない。

オンフルールとは、セーヌ河がイギリス海峡にそそぐ河口にできた美しい港町である。海に沈む真赤な夕陽を眺めていたら、

〈なあんだ、新潟と一緒じゃねえか……〉

ポケットに忍ばせた文庫本の作者が呟くのである。嬉しげな声で、言われてみればなるほど、信濃川が日本海にそそぐ河口にできた新潟は、オンフルールと瓜二つの港町だったのだ。

（産経新聞　二〇〇三・四・七）

第四章　良寛の死生観

酒とうた

あれは私がまだシンガー・ソングライターと呼ばれていた頃だから、もう十年以上も昔のことになる。ある日、「日本近代の抒情詩の中からお好きな作品を選び、作曲してくれませんか」という依頼がレコード会社から来た。それを五木ひろしさんが歌うのである。
半年ほどかけて膨大な量の詩集を読んだ。そして啄木や中也などの詩全十篇にメロディーを付けた。その中に北原白秋のこんな詩もあった。

青いソフトに　ふる雪は
過ぎしその手か　ささやきか
酒か薄荷か　いつのまに
消ゆる涙か　なつかしや
なつかしや……

歌の録音を終えスタジオから出てきた五木さんが、開口一番しみじみとした表情で洩らした言葉を今でもよく覚えている。「この詩を歌っていたら、なんだかむしょうに酒が飲みたくなってきましてねえ……」

☆

五木さんの感想を聞いて、「さもありなん」と私が微笑したのは何故かといえば、ふるさとの山河と酒の味を思い浮かべながら作曲したのだから、それも当然かもしれない、と考えたからである。

私は新潟に帰省するたびに、必ず護国神社の松林を散策する。安吾の文学碑が建つ小高い丘に登り、浜風に吹かれながら飽かず日本海を遠望する。佐渡島の彼方に真紅の夕陽が沈む頃、ようやく家路につく。

葱買うて
枯木の中を帰りけり

という蕪村の心境になる。貧しくささやかな人生ではあるけれど、帰宅すればそこには赤い火を囲む団欒がある。葱の煮える食卓が待っている。さて、葱の煮え立つ鍋を前にした以上、飲まないわけにはゆかない。

ある晩のこと良寛は、五合庵の近くに住む阿部定珍という友人宅でご馳走になる。「限りなくすすむる春の杯は薬とぞきく」と言いつつ定珍は杯をさしだす。それを干した良寛はこんなうたを詠んだ。

さすたけの君がすすむるうま酒に
われ酔ひにけりそのうま酒に

「さすたけ」とは「君」の枕詞である。それにしても良寛が干したうま酒とは、一体どんな酒だろう。今宵は白秋と蕪村と良寛を酒のさかなにして、心ゆくまで飲んでみたいと思う。

（産経新聞（新潟）一九九六・一・一）

良寛の死生観

越後の国上山に、再建された五合庵を訪ねた。大雪の日であった。寒々とした庵を眺めながら考えたことを次に記す。

良寛は十八歳で出家した。国仙和尚に出会ったのが二十二歳の時で、以来十二年間、備中玉島の円通寺で修行したことになっている。

良寛はどんな修行をしたのだろう。恐らくは清貧を旨として、坐禅弁道に励んだに違いない。坐禅の目的は、我の放下にある。即ち、一切のこだわりを捨てることである。捨てるべきこだわりの一切には、当然のことながら地位や名誉や金銭欲などと同様、〝生と死〟も含まれていなければならない。

良寛は、我を放下することによって、大自然の大きな循環の中で、虫やけものや鳥たちと共に自分もまた（生きているのではなく）生かされていることを識ったであろう。

もしそうであるならば、大自然が自分を生かしてくれなくなったその時は、あっさりと死ぬ……、いや、死なせていただく。そうしていつの日か、縁あって再び生かされるその日まで、のんびりのどかに〝死〟を楽しんでおればそれでよいのだ……。良寛はそのように考えた末に、あっけらかんと、

「死ぬ時節には、死ぬがよく候」

と、書いたのではなかろうか。

（「良寛と文人の自画賛」一九九七・六・四）

ゲストは良寛さん

私の職業は作家であるが、縁あってこの四年間ほどはオリンピックの仕事をしてきた。一九九四年リレハンメル五輪の折りは、長野五輪デモンストレーションの総合プロデュー

スをした。そして一九九八年長野五輪本番の際は、イメージ監督として大会のコンセプト〝愛と参加〟を提案したり、開会式や閉会式のシナリオを書いたりした。閉会式で『ふるさと』を合唱し、司会の欽ちゃんに
「私たちのふるさとは、地球です！」

と叫んでもらったりしたが、ご覧になった方々も多いであろう。

さて、長野五輪終了後のある日、私の郷里である新潟の県知事・平山さんからこんなことを言われた。

「新井さん、長野のことばかりやらないで、そろそろふるさと新潟のことをやってよ」

郷里のために、もし私にできることがあるならば喜んでやらせていただきたい……。かねがねそう考えていた私にとって、その言葉は渡りに船であった。平山さんはさらに言った。

「新潟県は伝統芸能の宝庫なんです。県内に埋もれている文化の宝ものを再発見して、二百五十万県民に紹介してやって下さい」

平山さんの趣旨に大賛成である。だが、むずかしい問題が二つほど考えられる。まず、無数にある文化の宝ものを一体どんな基準で探し出したら良いのか？　次に、こんなのもありますす、あんなのもありますと、ショーケース的に紹介される伝統芸能を、人々はわざわざ観

にきてくれるものだろうか？

　もしかするとこれはオリンピックよりも苦労しそうだぞ……。頭をかかえたが、何せ郷里のためだ、平山さんから依頼された〝新潟県民文化祭〟総合プロデュースの仕事を引き受けることにした。

　引き受けた以上は失敗したくない。いや、思いっきり楽しい舞台にしたい。あれこれ考えた結果、一人で思い悩むのはやめにした。どうせなら二人で思い悩もう。パートナーは誰が良いか？　最初に頭に浮かんだのが、良寛さんだった。良寛さんといえば、新潟県が生んだ人間の宝ものNO.1である。書と歌と恋と酒の大好きだった良寛さんなら、どんな伝統芸能を選択するだろう？　良寛さんと私の二人三脚で、県内に埋もれている伝統芸能を探し出し紹介しようというシナリオにした。

　正直なところを言うと、私はかなり心配だった。はたして観客が来てくれるのか？　しかし本番一カ月前の記者会見で、

「このたびの舞台には、ゲストとして良寛さんをお招きすることにいたしました」

　そう発表したら、定員一五〇〇人のところに三〇〇〇人以上の観覧申し込みがあり、押すな押すなの大盛況という結果となった。

無論、良寛さんはこの世の人ではない。当日、良寛さんは、天上大風と書かれた大凧に姿を変えて登場し、大ホールの中を縦横無尽に飛び回ったのだった。

（「Tempstaff Communication　私と仕事」一九九九・二）

良寛の世界

先日、新潟市で「良寛没後百七十年祭」が開かれた。内容はもりだくさんで、まず湯浅裕子さん（京都国際能楽研究所）による創作能「日輪月輪　―良寛上人と聖フランチェスコの物語―」が初演された。

良寛上人の弟子であった貞心尼と、アシジの聖フランチェスコの弟子であったキアラ。この二人の霊が時空を超えて、越後は出雲崎にある良寛ゆかりの浜辺で遭遇し、互いの師について語り合う。私は当初、あまりにも大胆なこの舞台設定に仰天したが、物語が進むうちに魅了され、最後は感動の拍手をおしまなかった。

良寛上人（一七五八〜一八三一）は江戸時代後期の禅僧である。一方、聖フランチェスコ（一一八一〜一二二六）は十二世紀のイタリアに生きたキリスト教の聖人である。時代も違えば、国も宗派も違う。しかし意外なことに、二人には共通点が少なくないのだという。裕福な家に生まれながら、ある日突然、出家したこと。大自然の中で清貧のシンプルライフを貫き通したこと。貞心尼とキアラのような美貌の尼僧に愛されたことまで、言われてみればなるほど、上人と聖人とは「所は遠く隔てれど、通い合いたる二人なり……」なのである。

創作能上演の後、全国良寛会総会、百七十年祭法要、新潟交響楽団による演奏（「カンタータ、良寛と貞心尼」など）とつづき、やがて国際シンポジウム「世界は今、良寛に何を学ぶか」が始まった。

この日のためにはるばる来日したのは、アメリカのS・ゴールドステイン氏、フランスの石上・イアゴルニッツァー・美智子氏、中国からは賈蕙萱《かけいけん》氏、ロシアからはセルゲイ・ソコロフ氏。日本からは私が参加した。

議論の中から具体的なプランも数多く生まれた。国際良寛学会を設立すること。近い将来、北京やパリでも国際シンポジウムを開くこと。そして主催者の一人でもある長谷川新潟市長から、こんな発言もあった。「創作能のビデオが完成したら、それを持ってアシジを訪問したい……」。もしこのプランが実現したならば、良寛がきっかけとなって国際的な文化交流が行われることになる。既にして良寛は、新潟だけの人、日本だけの人ではない、今や世界の人なのである。

☆

それにしても私たち現代人は、百七十年も過去の人である良寛に、なぜこれほどまで心魅かれるのだろう。理由は、二つあると思う。

一、良寛とは、何よりも一人の修行僧であった。托鉢行脚し、人々の喜捨によって生活を支えたわけである。雨の日には托鉢に出られない。食べものにもことかくこともあったろう。望みさえすれば、一山一寺の住職になるのはたやすいことだった。だが良寛は、それを望まなかった。地位、名誉、権力、出世、財産など、あらゆる欲とこだわりを捨て去り山中に独居することによって得たのは、限りない平安の心であった。それは、利便と飽食に首までつかった現代人が失って久しいものではなかろうか。

二、良寛は、詩人でもあった。

花、無心にして蝶を招き
蝶、無心にして花を尋《たず》ぬ
花開くとき、蝶来《きた》る
蝶来るとき、花開く

宗教者と芸術家という二つの顔を持つ良寛の心境は、あくまでも自由にして自在。そこが私たちを魅きつけてやまないのである。

（共同通信の配信　二〇〇〇・六・四）

世界は今、良寛に何を学ぶか

今、世界の人々が注目している〝良寛の世界〟を、次の三つの観点から考えてみたいと思います。

①　公的生活者としての良寛。
当時の社会とのかかわりに於いて。

②　私的生活者としての良寛。
独特のライフスタイルの持主でした。

③　精神生活者としての良寛。
そのまなざしとこころざしについて。

即ち、良寛をとりまく外部の大きな環境からじょじょに焦点をしぼってゆき、良寛の内面に迫ってみようというわけです。

結果――、

①　良寛は、托鉢行脚の人でした。

何よりも彼は一人の僧侶でした。

②　良寛は、山中独居の人でした。

無一物無所有のライフスタイルを実践した彼と、アシジの聖フランチェスコとは多くの共通点があります。即ち、大自然の中に生きている（人間以外の）生きものたちへの限りないやさしさと共感ということです。

③　良寛は、衆生済度の人でした。

ひかえめながらも存在感のある人生をおくることによって、世の中の（自分以外の）人々を救いたい、せめて人々の心に平安をもたらしたいと願いつづけた人でした。

中国に、

前人　木ヲ植レバ
後人　涼シ

という古いことばがあります。良寛とはまさに、人々の心の荒野に、一本のやすらぎの木を植えてくれた人でした。日本中の、いや世界中の人々が胸うたれる理由は、このあたりにあるのではないでしょうか。

（「良寛国際シンポジウム」二〇〇〇・一・一二）

芭蕉vs良寛　出雲崎のたたかい

四十六歳の芭蕉が〝おくのほそ道〟の旅で越後路《えちごじ》を歩いたのは元禄《げんろく》二年（一六八九）夏のことであった。越後の夏は、暑い。そのむし暑さは半端ではない。芭蕉は体調をくずしてしまい、難儀な旅をつづけたようだ。それでも名吟三句を残した。山形の方から日本海ぞいに下り、出雲崎《いずもざき》で一泊している。

さて出雲崎といえば、やはり良寛《りょうかん》であろう。この町で生まれ出家した良寛ゆかりの建物や場所が少なくない。つい先日も私は〝良寛と夕日の丘公園〟に登り、日本海に沈む夕日を眺めてきた。巨大な梅干しのような夕日だった。さすが、新潟景勝百選の第一位に選ばれただけのことはあって、天下の絶景であった。

ところで芭蕉は、出雲崎で良寛に会ったろうか。残念ながら会ってはいない。時代がまるで違うのだ。良寛が生まれたのは、芭蕉がこの町に滞在してから六十九年も後のことになる。でも会っていたら面白いだろうなあ。

小説家が妄想をたくましくするのは、こんな時なのである。それじゃあ二人を会わせてみようじゃないか。ターミネーターよろしく百十四年の時空をこえて未来の彼方《かなた》から、四十五歳の良寛を芭蕉の傍《そば》に呼び寄せるのだ。というわけで二人の句会の始まり始まり。

文月《ふみづき》や六日《むいか》も常《つね》の夜《よ》には似《に》ず

芭蕉の第一句に対して、良寛はかるく、

いざさらば暑《あつ》さを忘《わす》れ盆踊《ぼんおど》り

と応じたとする。そこで芭蕉の第二句、

荒海《あらうみ》や佐渡《さど》によこたふ天河《あまのがわ》

これにうってつけの良寛句で対する。

名月《めいげつ》や庭《にわ》の芭蕉《ばしょう》と背《せい》くらべ

そして芭蕉の第三句、

一家《ひとつや》に遊女《ゆうじょ》もねたり萩《はぎ》と月《つき》

この句に良寛は次のようにこたえるのだ。

盗人《ぬすびと》にとり残《のこ》されし窓《まど》の月《つき》

芭蕉も見たであろう、良寛も見たであろう日本海に沈む夕日を眺めているうちに、私にはそんな光景が浮んできたのであった。

（「おくのほそ道を歩く VOL24 越後路」 二〇〇三・七・一四）

良寛・漢詩を自由訳すると

超有名にして、超難解、への挑戦

〈はて、自由訳とは、何だろう……？〉

そう思いながら、首をかしげた読者諸兄も少なくないかもしれない。自由訳というのは、十年ほど前から私が試みてきた翻訳の方法論なのだ。例えば、誰もが知っているテキストがあったとする。ところが、意味がむずかしすぎてよくわからない。即ち、

超有名にして、超難解

そのようなテキストを現代語訳する際、直訳ではなく意訳するのだが、私自身はそれを自由訳と称している。自由訳を行う場合、私は自分自身に次の条件を果している。

①原作のコンセプトは絶対厳守すること。

②原作者がつたえようとしていることを、想像力の翼を自由自在にはばたかせて、できる限りわかりやすい日本語にすること。

私がこれまで自由訳してきたのは、『般若心経』サムエル・ウルマンの『青春とは』『老子』『十牛図』原作者不詳の英語詩『千の風になって』ジョン・レノンの『イマジン』など様々だが、先日出版した『自由訳　良寛』（世界文化社）によって、自由訳シリーズは丁度十冊目となった。

☆

江戸時代末期、七十四歳まで生きた良寛は、たくさんの和歌や俳句や漢詩や書を残した。とりわけ漢詩にはすぐれた作品が多く、人生観や社会批判から山中独居の暮らしぶりまでが、格調高くしるされている。

私は、約七百五十首あるという良寛・漢詩の中から、主として五合庵時代に書かれた二十四首を厳選し、自由訳した。さらにそれを一年間の四季の流れにそって配列し直し、美しい写真群をそえて一冊と成した。中年から晩年にかけての良寛は、いったい何を考え、何を感じながら日々を生きたのか、それを知りたかったのだ。

自由訳の具体例をご紹介しよう。漢詩好きの方々なら、良寛のこの作品はご存知であろう。

毬子

袖裏繍毬直千金
謂言好手無等匹
可中意旨若相問
一二三四五六七

良寛・漢詩の中でも有名な作品である。だが、その意味となると仲々容易ではない。私は七転八倒した末に、次のように自由訳した。

毬《まり》つきの極意

私の袖の中にはね、様々な色のあや糸でぬいあげた、それはそれは美しい手毬がつねに入っているのだよ。それはね、とても値打ちがあるものなのだ。ところで世の中に、私ほどの毬つき名人はまず一人もいないだろうね。もし誰かが、「どうしてあなたは、それほどまで毬つきに心魅かれるのですか……?」と問うならば、私は答えることだろう。

「一《ひい》二《ふう》三《みい》四《よう》五《いつ》六《むう》七《なな》……」

毬つきのつきは、無限につづいてゆくのだよ。それは無限大に広がって、決して尽きることのない仏様の慈愛の心と、全く同じことなのだよ……。

(「全漢詩連会報」二〇〇九・六・一〇)

第五章　オリンピックの仕事いろいろ

スノーフラワーの開花と歓喜

冬季五輪真っ最中のリレハンメルで、私は今この文章を書いている。人口二万三千人の小さな町だが、意外にも街路のどこにも万国旗のたぐいは飾られておらず、氷点下二〇度、一晩中降りしきる雪に埋もれて眠っているかのようである。

近ごろ町の人々の話題はもっぱら、あの予言が本当に当たるのかどうかということだ。数十年前、町の郊外に住む老占い師が次のような予言をした。「一九九四年にこの町でオリンピックが開かれるであろう。だがそれは中止されるであろう。大雪が降って……」当たるも八卦《はっけ》、当たらぬも八卦である。占い師の言葉など誰一人信じる者はいなかったのだが、五輪が開催されたことで少なくとも予言の前半部分は大当たりしてしまった。問題は、あとの半分。元々このあたりには、大雪はあまり降らない。だから雪が少な過ぎて中止にならぬよう何十台もの人工降雪機を準備していた。ところがいざ蓋《ふた》をあけてみると、五十年ぶりの大雪である。これ以上、雪が降り積もって、不吉なあの予言が当たったりしたら何としよう……。心配顔で雪空を見上げているのは町の人々ばかりではない。実は私も、その一人なのだ。

なぜ私が今ここにいるかというと、二十七日夜八時（日本時間では二十八日早朝）から開かれる五輪閉会式の最後に、次期開催地である長野がデモンストレーションを行うのだが、その総合プロデューサーをしているからなのだ。

「四年後の一九九八年は、日本の長野です。世界中の皆さん、心からお待ちしています！」

〈十億人以上に映像で〉

わずか五分間足らずではあるが、その模様は国際映像を通じて地球上の十億人以上の人々に見られるという。まだまだ知名度が低い長野を世界に売り込むには、千載一遇、絶好のPRチャンスと言って良いだろう。

しかし、日本叩《たた》きの嵐《あらし》吹き荒れる昨今である。どうせやるならば、それを見た人々になるほどと首肯し感動してもらえるようなPRをしたいものだ。半年ほど呻吟《しんぎん》しながら考えた結果、PRの基本姿勢として〝できる限りひかえめに〟行うことにした。なぜか？

ノルウェー五輪閉会式の主役はあくまでもノルウェー人なのである。私たち日本人は、いわば他所様のパーティに招かれた客のようなものであって、客には客として守るべき礼節がある。即ち、主人を食うような派手派手しく大袈裟《おおげさ》なPRは慎もうではないか……。

〈ひかえめかつ鮮烈に〉

だが礼節を重んじ過ぎて印象が希薄になってもつまらない。ここはひとつ〝ひかえめながらも鮮烈なイメージ〟のPRを行う必要がある。またまた呻吟した結果、最後に〝花〟というイメージ・コンセプトに思い至った。

〝美しく豊かな自然との共存〟は、長野オリンピックの基本理念であるし、エンブレムのモチーフの一つには高山植物・スノーフラワーがつかわれている。縁あってこの仕事をすることになった私もまた、十年以上昔から桜をはじめとする様々な花の環境ビデオを作ってきた。そうだ。花ならば、ひかえめながらも印象深いではないか。閉会式が行われる円形アリーナを巨大な白いキャンバスに見立てて、その上に一輪のスノーフラワーを描くというのはどうだろう。それはたった五分間しか咲かないまことにささやかな花ではあるが、四年後に開く大輪の花へといざなうかけがえのない一輪となるに違いない。題して〝スノーフラワーの開花と歓喜〟。

演出監修を勅使河原宏さんにお願いした。このＰＲパフォーマンスを成功させるためには、世界的な映画監督であり、華道草月流家元でもある勅使河原さんの協力が不可欠なのである。勅使河原さんは想像する。ノルウェー側は開・閉会式でどんなパフォーマンスを展開するのだろう。おそらく子供から老人まで人間を大量動員するのではないか……、開会式をご覧になった方は既におわかりのように、その予想は的中した。閉会式でも同様の趣向でくることがリハーサルを見ていてわかった。

ノルウェー側が千人でくるならば、日本側はさて何百人何千人で対抗すべきか。しかし、「千人と対峙《たいじ》できるのは、ただ一人なのだ」。

〈大役は名古屋の二十一歳〉

それが勅使河原さんの驚くべき演出プランであった。四万人の大観衆に見守られながら、スノーフラワーの精を演じるのは広田瑞穂さん、二十一歳である。彼女は名古屋市内のスポーツクラブで受付アルバイトをしているところを勅使河原さんにスカウトされ、今回の大抜擢《ばってき》となった。

笛、太鼓、ひちりきといった和楽器と電子音楽とを合体したまことに印象深いテーマソングを作曲してくれたのは、三枝成彰さんである。この音楽と、おおたか静流《しずる》さんが歌う長野地方の民謡・小諸馬子唄をバックに、スノーフラワーの精は情熱をうちに秘めた静寂の舞いを踊ってくれる筈《はず》である。

毎晩、閉会式のためにノルウェーと日本の合同リハーサルが繰り返されている。ノルウェー側の式典プロデューサー・三十八歳のベンタインさんが近づいてきて、私の耳にささやく。

「美しいデモンストレーションだね。能や禅の世界にも通じているようだし。日本もなかなかやってくれるじゃないの……」

ひかえめに行くつもりが、いつのまにか拳《こぶし》に力が入っている。ノルウェーに勝とうとは思わない。しかし負けるつもりもないのだ。閉会式本番まで数日に迫った。あとは占い師の予言が外れることを祈るばかりである。

（讀賣新聞（夕刊）一九九四・二・二三）

一九九四リレハンメル長野デモンストレーション・台本

一九九四年二月二十七日の夜、リレハンメル・オリンピック閉会式のアトラクションは、今ようやく終わろうとしている。

善の化身たちと悪の化身たち（森の奥に棲む伝説上の化物、トロール）は、壮絶な戦いをくりかえした末、ついに善の化身たちが勝利をおさめる。悪の化身たちは、地上から全て消滅。ばんざい！　ノルウェーの森に、再び平和が訪れたのだ。

善の化身たちは白い衣裳を身にまとっている。静かに踊り始める総勢一五〇人の善の化身たち。平和を象徴するよろこびのダンス。やがて一五〇人の人々は、円形アリーナの外側に向かって立ち去る。

無人と化した円形アリーナ。

交響楽的音楽がフェイド・アウトし、これによってリレハンメル側デモンストレーションは、全て終了となる。

長野側デモンストレーションの開始。

海溝の最深部のような静寂。

真暗な場内。

そのときだ。

静寂を突き破ってするどく高く響きわたる笛の音。一本の針のようなレーザー光線が空中を走り、円形アリーナ中央に至る。

あっ！　あれはいったい何だ……!?

スポットライトに照らされて浮き上がるのは、一人の人物。どうやら少女のようである。まだ、あどけない。だが既に、言いようもない愛らしさと麗しさ、そして気品とをかねそなえた不思議な美少女。この美少女こそ、スノーフラワー。遥か東洋の果ての国、日本から、たった今飛来した〝雪の花の精〟なのである。

少女が身にまとっている衣裳の色は、白。厳しく冷たい北極圏ノルウェーの雪ではなく、どこかあたたかみのある日本の雪……。それを感じさせるような白。またその形は、日本的なるもの（ジャパネスクな美的世界）を想起させる。

白い円形アリーナ中央部。

凛としてたたずむ一人の少女。

微動だにせず、ひたすら聖火台方面を凝視する少女の顔。（国際映像は、円形アリーナを鳥瞰するパノラマショットから、少女の顔へ一挙にズームアップ）

どこまでも澄みきった少女の黒い瞳。

静かに流れる〝スノーフラワー（雪の花の精）のテーマ音楽〟。

音楽、しだいに高揚。

すると、少女の両手が微《かす》かに動き、やがてゆるやかな弧を描き始める。（ジャパネスクな動きと形）少女の両手、頭上へ。

それは、いったい何を象徴しているのだろう。リレハンメルで実現された友好へのよろこびか？　平和への感謝か？　それとも、大自然と人間との共生を夢みる願いのようなものなのか？

いや、少女のしぐさとは、それらを全て包含した祈りなのである。

巨大な円形アリーナ中央部にただ一人、ぽつんとたたずむ雪の精。その姿は、いかにも小さくいかにも細く、まことにささやかなものに見えてならない。だがその姿には、雪原上にすっくと、強くそしてしなやかに伸び立つ一本の若竹を想わせるものがある。（国際映像は、ライブと若竹の二重映像）

あっ、そのとき、
少女の指の先端から光が……。
一本のレーザー光線が発せられ、天頂さして駈け昇ってゆく。（大地から発信された愛のメッセージだ）
ややあって、今度は真暗闇の天空の彼方から光の応答がある。（式典会場四カ所に設置された照明塔から発せられるレーザー光線）
天と地の間で展開する、光の対話。
愛のメッセージの交流。
そして今、新しい〝いのち〟が誕生する。（国際映像、円形アリーナに満開の桜が咲きほこっている二重画面）

音楽が変調する。

それまで、円形アリーナの外縁部にうずくまり待機していた善の化身たちが、一勢に立ち上がる。中央部に向かって歩き始める善の化身たち一五〇人。

円形アリーナ外周上には、一五〇個のスノーボールがあらかじめ設置されている。それを次々に拾い上げ、両手で持ちながら歩み寄る善の化身たち。

ぱぱぱぱぱ……。（スノーボールに内蔵されたスイッチ、オン）

一五〇個のスノーボールに火が灯《とも》る。

白い闇の底から、茫と浮かび上がる、無数の小さな白い煌《きらめ》き。幻のような美しさ。あたかもそれは、いのちを吹き込まれてよみがえり、喜々として闇の空を飛びかう、真冬の螢のようではないか。

微笑する少女の顔のアップ。

少女の指先から再び発せられるレーザー光線。それを待ちかねていたかのように、円形アリーナ中央部から、突如、噴き上がるものがある。

何だろう……!?

雪だ。

空中高く、もっと高く、さらに高く噴水のように噴き上げられる雪の花びら。（スノーマシンより噴射）

天空から降りそそぐ、雪の白と……。

地上を飛びかう、螢の白。

ライトに照らされて輝く、雪の白と……。

微《かす》かな光を自ら発しながら飛びかい蠢《うごめ》く、螢の白。

音楽が変調。
そのとき、降りしきる雪をスクリーンにして、投射されるものがある。
不思議な色と、形。（やはりジャパネスクなものが良い）
それまで白一色だった円形アリーナは、一瞬にして色彩の空間へと変容する。色とりどりの色たちが、あざやかに光輝く原色の世界。（このとき使用する特殊照明機材候補として、フランスコントレジュール社製のプロジェクター・エフェクトシステム・二五〇〇ＨＭＩ）

音楽、再び変調。（何かが起きそうな、そんな予感をさせるリズムとメロディー）

そのときである。円形アリーナの外周四カ所に設置されたゲートから、何かとてつもないものが姿をあらわした。

何だ、何だ……!?

いったい何があらわれたのだ……!?

それは平体のかかった巨大なオブジェ。目をこらして良く見れば、どうやら花びらの形をしている。（ヘリウムガスによって浮遊する一種のバルーン）

巨大な六個の花弁。

黄、赤、紫、青、橙《だいだい》、そして緑。

'98長野オリンピック公式マークの花弁と同じ色、同じ形のものが、今、その全貌をあらわした。（一個の花弁は、十人の人々によって保持されている）

六個の巨大花弁は、総勢六〇人（ノルウェー人が五〇人、日本人が一〇人）の人々の手によって運ばれ、しだいに円形アリーナ中央地点に向かって近づいてゆく。

音楽もり上がる。

ついに集結した六個の巨大花弁。（真俯瞰から撮影する国際映像）見れば、円形アリーナいっぱいに、六色の花弁をもった巨大な花が咲いている。言うまでもなくそれは、長野オリンピック公式マークの花、スノーフラワーに外ならない。六本の紐を結びつける。

見事に開花したスノーフラワー。

しかもそれは、ノルウェーと日本、両国の人々の協力によって作られた、友好と平和の花なのである。


音楽が変調。

少女が天を仰ぐ。少女の指先からレーザー光線が発せられる。それと同時に、
あっ……!?

なんということだ。六個の巨大花弁がゆっくりと上昇してゆくではないか。(六〇人の人々が一勢に手を離したのだ)

静かに上昇する、六個の巨大花弁。

さらに上昇する、スノーフラワー。

さらにさらに上昇をつづける黄、赤、紫、青、橙、そして緑の花びらたち。

音楽もり上がり、観衆の全ての視線が天空の巨大バルーンに釘付けになったそのとき、聖

火台に向かって投射される炎のような赤色。その赤い一点が、みるみる拡大し増殖を始める。観客席を赤く染め、円形アリーナ南側を赤く染め、さらに北側をも赤く染め、ついに式典会場全体を真紅に染め上げてしまう。（照明塔からのライティング）

さっきまで白かった世界は、

今や真紅の世界だ。

音楽、転調。

少女はクルリと踵をかえす。（聖火台方面から、ジャンプ台方面に方向転換）

少女の指示。

すると、どうだ。

世界を染め上げていた赤色は、ジャンプ台方向に向かってものすごいスピードで移動し、

再び世界はみるみる白色に変わってゆく。

音楽もり上がってゆく。

赤いスクリーンが、するすると持ち上がり、（あたかも新しい世紀の開幕を告げようとするかの

ように）さらにするすると、ジャンプ台上方に向かって舞い上がってゆく。

風に吹かれ、はためきながら飛翔する真紅の炎。太陽と情熱のスクリーン。

スクリーンが舞い上がった瞬間、大型の映像プロジェクターから投射されるのは、'98長野オリンピック冬期競技大会の公式マーク。

音楽、さらに盛り上がり、
ジャンプ台上に投射される「SEE YOU」のレーザー光線文字。

音楽、最高に盛り上がったところで、「IN NAGANO 1998」

すなわち、ジャンプ台上には、長野オリンピックの公式マークと共に、

「SEE YOU IN NAGANO 1998」

が投射され、以上で長野側デモンストレーションは終了となる。


以下の展開は、リレハンメル側スタッフと長野側スタッフの共同演出となるが……。

音楽、これまでとうって変わったハイ・ビートのフェスタ音楽。

歓喜のテーマソング、スタート。

国際映像がとらえたのは、観客席に座っている長野オリンピックのマスコット四人。その

アップ。彼らに握手を求めながら近づいてくるのは、リレハンメル・オリンピックのマスコットたち。

「さあ、一緒に行きましょう！」

「円形アリーナの中央へ！」

リレハンメル・マスコットたちに促がされ、立ち上がり、先導される長野マスコットたち。

やがて両者は手に手を取って、円形アリーナの中央へ。

この瞬間を待っていたんだ。聖火台下に着席していた世界各国のオリンピック選手たちが一勢に立ち上がる。雪崩を打って円形アリーナの中へ駈けおりてゆく。

人種の壁をこえ、言語の壁をこえて、乱舞する世界各国の選手たち。仲良くダンスしているリレハンメル・マスコットと、長野マスコットの姿。このほほえましい姿を、国際映像はアップで写し出すことを忘れない。

「おつかれさま、リレハンメル！」

「よろしくたのんだよ、長野！」

おまつり一色と化した式典会場のロングショット。世界中の皆さん！　また四年後に。一九九八年、日本の長野での再会を誓いながら、

「ありがとう！　そして、さようなら！」
「友よ、また会おう！」

（一九九三・九・一〇）

母親の職業
―髭とパラソル― より

五輪の仕事でノルウェーに出発する日の朝、空港へ行くためにタクシーを呼ぼうとして電話機に手を伸ばしかけた丁度その時、電話のベルが鳴った。電話の声は兄で、しかも、「母、危篤」の報せであった。私が自分の耳を疑ったのは言うまでもない。この正月は母と共にすごし、百人一首などして愉快に遊んだばかりであった。風邪を引いて体調を崩していたとはいえ、まさかそれが命取りになるとは夢にも思わなかった。兄の言葉に私は動転し、目の前が真暗になった。

その時、私には取るべき道が二つあった。仕事の鬼となって、母の病状を案じながらも予定通りノルウェーに向けて飛び立つ。これが一つ。もう一つは全てのスケジュールをキャンセルして故郷新潟に急行する。ノルウェーには十億人の人々が注視する、恐らく私の生涯でも二度とないであろう記念すべき仕事が待っていた。一方、新潟で待っていたのは、たった一人の母である。

どちらを選択すべきか？

選択の余地などあるわけもなかった。躊躇せず私は後者を選び、新潟行きの超特急あさひ号に飛び乗った。

しかし、間に合わなかった。母の顔にかぶされていた白布を取ると、まるで昼寝でもしているように安らかな表情ではないか。母の肩を揺さぶりながら、「母さん。起きてくださいよ。そんな冗談は、もうやめにしてくださいよ。おねがいだから目蓋を開けてくださいよ！」

何度も何度も叫んだ。しかし彼女は二度と目を覚ましてはくれなかった。急性心不全。享年九十一。

私の母、新井ヨシノは明治三十五年六月、新潟市内寄居町に生まれた。大正九年、十八歳の秋に助産婦試験に合格した。高橋産婦人科病院に勤務したのち独立し、自宅で〝産婆〟を開業した。いわばキャリアウーマンの元祖のようなものであり、職業婦人としての顔は最後まで持ちつづけた。そして日本助産婦協会新潟県支部に所属する現役の助産婦として死んだ。約七十年にわたる助産婦業で取り上げた赤ん坊の数は、いったい何千人、いや何万人にのぼるのであろう。一度訊ねたことがあったが、「あんまり多過ぎて、自分でもようわからん」と母はただ微笑するばかりだった。

三十六歳でお見合結婚し、三十七歳で長男を、四十四歳で私を出産した。四十七歳の冬、夫（つまり私の父）が病死した。まだ幼い二人の子供をかかえて夫に先立たれた彼女は、さぞ途方に暮れたであろう。だが母には産婆という収入源があった。それに夫が残してくれた小さな文房具店があった。それで何とか子供たちを育てあげ、大学にも入れた。

万代橋西詰めにある市立礎小学校の卒業生なら、知らぬ筈はなかろうと思う。あの小学校のまん前にあったイチマル文房具店こそ、私の実家であり、四十四年間にわたって、〝イチマルのおばあちゃん〟と呼ばれつづけてきた人物こそ、私の母だったのである。

仮通夜の日の夕刻、礎小六年生の子供たちが大きな花束をかかえてやってきて、「おばあちゃんの顔を一目拝ませてください」と言う。話を聞けば、母は毎年、卒業式が近くなると、六年生の児童全員に「卒業おめでとう！　中学に行っても病気なんかせず元気にがんばるんだよ！」

そう言いながらノートなどの文房具をお祝いにプレゼントしていたらしい。六年生たちは六年生たちで、記念に絵を描いたり、工作を作ったりしたものを母のところに持参し、かわいらしいお返しをしていたという。長年にわたって母と子供たちとの間に、そのような季節の行事というか、ほほえましいエールの交換が行われていたことを私は知らなかった。

母は今年も、卒業祝いを子供たちに早々とあげていたようである。そのお返しに何がいいかと、子供たちもそろそろ考え始めていたのだが、その矢先、母は急死してしまった。お返しをあげそびれてしまった。子供たちは残念でならない。無念でならない。考えた末に、それぞれのポケットからなけなしの小遣いを出し合い、花屋に行った。

「せめて、これをおばあちゃんに……」

子供たちは激しくすすり泣きながら、大きな花束をさしだすのである。

葬式が終わって二週間ほどが過ぎたある日、兄から一冊のノートが届けられた。礎小学校六年生一同が書いてくれた『イチマルのおばあちゃんの思い出』である。誰に命令されたわけではなく、子供たちが自発的にしかも一所懸命書いてくれた作文集で、涙なしに読めるものではない。例えばS君の作文。

「たまに僕が文房具を買いに行くと、ガムやアメなどをたくさんおまけしてくれました。よく、あんた今何年生？　大きくなったねえ……と、声をかけてくれました。もっとおばあちゃんといろんな話がしたかったです。そしてありがとうございましたとひとこと言いたかったです」

Hさんの作文はこうだ。

「しわしわした顔が笑うと、くしゃっとなった元気なおばあちゃんでした。いただいたノートのお礼を言いに行ったら、そうかい、卒業かい。さびしくなるねえ、でも良かったねえ、と言ってくれました。私の中学校の制服姿をあのおばあちゃんに一目見せてあげたかったです」

母の天職は、赤ん坊を取り上げることであった。その赤ん坊がすくすく成長してゆくのを見るのが、何よりの喜びであった。だから小学校前の文具店主というのも、彼女にぴったりのもう一つの天職であったのだろう。小さな子供たちから慕われつつ生き、そして死んだ、母の生涯であった。

（新潟日報「髭とパラソル」一九九四・四・一）

リレハンメルから長野へ

ふと気がついた。この一年ほどのあいだに小説らしい小説を一つも書いていなかったことに気がついた。ただの一つもだ。それでは一年ものあいだ、いったい何をしていたのかというと、オリンピックの仕事をしていた。冬季オリンピックの仕事である。

私は今も電通という会社に勤めている。音楽映像プロデューサーとして、あいかわらず環境ビデオを作ったり、テレビ番組を企画したりしている。今年の二月、ノルウェーのリレハンメルで第十七回オリンピック冬季競技大会が開催された。その閉会式の最後に日本人の手によって〝長野デモンストレーション〟が行われたのだが、お気付きであったろうか。「世界中のみなさん！　次回の開催国は日本です。日本の長野です。四年後の一九九八年の二月には、日本の長野で再会しましょう！」

わずか五分間のデモンストレーションである。ところがその五分間のために、企画、ロケーション・ハンティング、衣裳や大道具作り、リハーサル、そして本番と、約八カ月間かかりっきりになってしまった。ゆっくりと原稿用紙をひろげる、そういう余裕は本当になかった。

さて、どんなデモンストレーションをやったら良いのだろう。まず企画である。何しろ持ち時間はたったの五分間だから、思いっきり華々しく派手やかにやることは当然のことながら考えられた。しかし、そういうふうにはやらないことにした。なぜか？　ノルウェー五輪の主役は、やはりノルウェー人であろう。次期開催国民である日本人とは、いわばノルウェー人が開くパーティに招かれた客のようなものであって、もしそうであるならば、客としての分をわきまえねばならない。失礼のないように礼をつくさねばならない。どのような礼か。即ち、主人を喰ってしまうような華々しいデモンストレーションはやらないことにしよう。

叫ぶのではなく、ささやく。あくまでもひかえめな長野デモンストレーション。だが、あまりに礼節をおもんぱかりすぎて印象が希薄になるのもつまらない。せっかくもらった千載一遇のＰＲチャンスではないか。国際映像によって地球の十億人以上の人々がこの模様を見守るというではないか。ここはひとつ、ひかえめながらも存在感のある、イメージのあざやかなデモンストレーションにしたい……。あれこれ考えた末に、

〝花〟

を咲かせることにした。

閉会式が行われる円形アリーナを巨大な白いキャンバスに見立てて、その上に一輪のスノー・フラワー（雪の花）を咲かせるのだ。

企画は決まった。さて次にスタッフたちと議論したのは、日本から何十人あるいは何百人の出演者を連れて行くか、ということだった。ノルウェー側が閉会式のパフォーマンスに大量動員をもってのぞむであろうことは、十分予想がついた。もしノルウェー側が千人のパフォーマンスで来るとしたなら、日本側はいったいどれほどの人数で対抗したら良いのだろう。

千百人か、千五百人か？

ちがう。それは、一人だ。たった一人だけが、千人と対峙できるのだ。そのようないわば逆転の発想をした結果、日本からはスノー・フラワー役を演ずる女性ただ一人を連れてノルウェーに行くことにした。題して〝スノー・フラワーの開花と歓喜〟。演出監修は勅使河原宏さん、音楽は三枝成彰さん、総合プロデューサーが私。

この長野デモンストレーション、勅使河原さんの演出監修は実に見事だった。三枝さんが作曲してくれた音楽も素晴しく美しかった。しかもそれはかなり意表をつくものだった。

「この神秘的なメロディーは何だ……?」

プレスルームにつめていた世界中の記者たちは、思わず身をのりだして耳を傾けたという。信濃追分だった。リレハンメルの夜空に響きわたった追分の旋律は、静かで哀しげだった。それでいて土のにおいがして力強く、そして懐かしかった。

長野デモンストレーションは成功裡に終わったが、なにせ鼻水も凍る氷点下二十度Cのリレハンメルである。全身ホカロン人間と化した私は、それでもなおブルブルと寒さに震えながら、あったかな日本に早く帰りたい、と内心泣いていたのだった。

それにしても解せないのは、何よりも寒さが大嫌いな私のような人間が、どうしてわざわざ厳寒の地で仕事をするはめになったのか、ということである。実を言うと私、雪国の新潟で生まれた。ならばスキーもスケートもお手のものでしょう、とよく誤解される。しかし自慢ではないが、生まれてこのかたスキーもスケートもしたことがないのだ。いや、正確に申し上げると、スキーやスケートの季節であるところの寒い寒い冬が大嫌いで、ウィンター・スポーツなどする気も起こらなかったのだ。

高校卒業と同時に上京した。郷里にも大学はあったが、あえて東京の大学を選んだのは寒い雪国から一刻も早く脱出したかったからである。電通に就職すると大阪に配属され、ついで神戸に転勤となった。新潟と違って神戸は冬でもあたたかい。空も青い。天国のような土地で二十代をすごした。ところが三十代の中頃に再び転勤があって、東京に戻ってきた。それからは不思議に寒い国での仕事ばかりがつづくようになり、とどめが今回のリレハンメルというわけである。

ノルウェーから帰国して、

〈やれやれ、これでようやく寒さから解放されるぞ〉

と喜んでいたら、それもつかのま、今度は長野五輪の仕事が飛び込んできた。信濃毎日新聞といえば長野県随一の有力紙であるが、その紙上で各界の識者たちと対談しながら、四年後の長野五輪をどのようなオリンピックにすべきか、そのコンセプトを探るというものである。

もっとも、この仕事は楽しかった。テーマは冬季五輪だが、一番暑い夏のまっさかりに対談したから。対談相手は三枝成彰さん、池田満寿夫さん、斎藤英四郎さん、内館牧子さん、浅利慶太さん、山際淳司さん、髙野悦子さん、スキー団体複合金メダリストの荻原健司さん、以上八名。印象に残った会談のくだりを次にご紹介しよう。

まず元経団連会長にして長野冬季五輪組織委員会の会長でもある斎藤英四郎さん。私が「今から三十年前の一九六四年に開催された東京五輪は、日本という国が飛躍的な経済復興をとげる契機となったシンボル的大イベントでしたね。貧しい青年が一所懸命頑張って独立して、ようやく一人前になったような……」と話を向けると、

「当時は盛り上がりましたね。長野は盛り上がりが足りない、と言われますが、時間がたてば解消しますよ。私は個人的には、長野五輪が〝美の祭典〟として盛り上がるのを期待してるんです」

斎藤さんからいきなり〝美の祭典〟というコンセプトが飛び出してきたので驚いた。次は劇団四季の代表にして演出家の浅利慶太さんである。私が「リレハンメル五輪には環境と平

和という明快な二つのコンセプトがありましたが、長野の場合は？」とたずねると、

「コンセプトはまだ決めない方がいいと思いますよ。三年半後に、日本と世界がどうなっているのか、分からないですから」

すこぶる明快かつ現実的な回答であった。長野五輪の開・閉会式について、何か具体的なアイデアがあるか、とたずねると、

「開・閉会式のアイデアはいろいろありますが、アイデアを出すのも一つのビジネスですから、なかなか申し上げられませんよ（笑い）。でも、きょうは特別に申し上げると、長野には何といっても善光寺がある。（中略）善光寺が中心にならないと、おかしいと思いますよ」

言われてみてなるほど、と思うことが時々あるものだが、それにしても「長野五輪に善光寺」という視点は新鮮であった。

最後は脚本家・内館牧子さんの発言。

「何といってもときめきと参加性よね……」

市民が自主的に参加したくなるようなときめきのあるオリンピックにして欲しい、とはまことに正論。さて長野冬季五輪は一九九八年（平成十年）二月七日土曜日から始まることになっている。私とて参加したいのは山々であるが、その前にまず筋金入りの〝寒がり〟を克

服せねばなるまい。

（「別冊　文藝春秋」一九九五・冬）

私たちの故郷《ふるさと》は地球です

二月二十二日午後七時三十分、長野五輪の閉会式はフィナーレを迎えようとしていた。

「いよいよ、聖火が消えますよ！」

司会の萩本欽一さんが叫ぶ。

「聖火が消えたら『故郷（ふるさと）』を一緒に歌いましょう。故郷、いい言葉ですねえ……」

一呼吸おくと萩本さんはなおもつづけて、

「あの高い上空から地球を見た、ある宇宙飛行士がこう言いました。最初の一日か二日は、みんなが自分の国を指さしていた。三日め四日めは、それぞれ自分の大陸を指さした。しかし五日めになると、私たちの念頭にはたった一つの地球しかなかった……。そうです。私たちの故郷は、地球なのです。この故郷がいつまでも平和でありますように祈りを込めて、『故郷』を歌いましょう」

☆

十六日間にわたって燃えつづけてきた聖火が消えると、中央ステージにマイクを持った杏里さんが登場し、静かに歌い始めた。

うさぎ追いし　かの山
こぶな釣りし　かの川

三年前、長野五輪の総合プロデューサー兼演出家に就任したばかりの浅利慶太氏は、このたびの開・閉会式を従来とは全く違うものにしようと考えた。即ち、平和希求というメッセージ性の強い式典である。その結果、開会式では聖火最終ランナーの一人に英国人の対人地雷禁止運動家クリス・ムーン氏が起用され、さらに平和を真に実現するため今こそ連帯しようと、ベートーヴェンの『歓喜の歌』五大陸大合唱が行われたのだった。

では、閉会式をどうすべきか？　イメージ監督に就任し、式典のコンセプトやシナリオ作りに参画していた私にとって、それは大きな難問であった。平和希求メッセージの総仕上げとも言うべき閉会式で、ベートーヴェンと対峙できる一体どんな歌があるというのか。考えた末に出した解答が『故郷』だった。

『故郷』を作詞したのは高野辰之（一八七六―一九四七）である。長野県北部に位置する下水内郡・豊田村に生まれた高野は、故郷の山河を思い浮かべながら『故郷』を作詞したらしい。うさぎを追いかけたのは、斑尾《まだらお》山であり、こぶなを釣ったのは、斑尾川であった。この辺の事情は、猪瀬直樹著『唱歌誕生』（文春文庫）に詳しいので参考にされたい。

いかにいます　父母
つつがなしや　友がき

農家の長男に生まれた高野は、苦学の末、師範学校を卒業し飯山小学校の教師になる。やがて結婚を機に上京し、縁あって文部省に入る。だが、貧しさのため正規の学歴コースを歩めず、高等文官試験を受けられなかった彼は、下級官吏の生活を続けることになる。

その後、東京音楽学校の講師に転じた高野は、小学唱歌教科書編纂委員会の席上、作曲家の岡野貞一と出会う。この二人のコンビによって生み出された唱歌が『春が来た』『紅葉』『春の小川』『朧月夜』、そして『故郷』だった。

☆

後年、近世邦楽の研究によって文学博士となった高野は、人力車に乗って帰郷し、村人たちの大歓迎を受けた。文字通り、故郷に錦を飾ったわけである。しかし、私たちが今、高野の名を知るのは、彼が命がけで取得した博士号のせいではない。皮肉にも、高野にとって云わば余技とも言うべき唱歌作詞のおかげなのだ。故郷を遠く離れ、鬱屈した日々をおくっていた高野は、ついに母親の死に目にも会えない。情ないその心情と押さえがたい望郷の念を、彼は一つの歌に託した。『故郷』を歌うたびに、しみじみとした気持になり、思わず涙するのは私だけではなかろう。だからこそ私たちは、どうしても高野の名を忘れることができないのだ。

長野五輪の閉会式で何を歌うべきか。私が『故郷』を強く推した時、浅利氏は言ったもののである。「もしかするとこの歌、ワールドソングになるかもしれないねえ……」

長野県人によって作詞された歌が、世界中の愛唱歌になる。それはありえないことではない。なにしろ三十億もの人々が、テレビ中継で閉会式を見るのだから。

こころざしを　はたして
いつの日にか　帰らん

『故郷』の三番を歌うたびに想うのは、こういうことだ。「いつの日にか帰ろうとする故郷とは、一体どこにあるのだろう」

私は、新潟市に生まれた。中学生時代、放課後になると毎日のように家とは反対の方角、つまり海岸に向かって歩き出した。松林の中にある小高い丘、その天辺に巨石があり、

「ふるさとは　語ることなし」

と刻まれていた。新潟が生んだ作家、坂口安吾の詩碑である。日本海に沈む真赤な夕日を眺めつつ、安吾の真意を推し量ろうとしたが、少年の私にはよくわからなかった。

☆

あれから三十五年が過ぎた。今では実によくわかる。故郷に寄せる熱き想い万感胸に溢れて言葉にもならぬ……。そういう安吾の気持は痛いほどよくわかる。しかし、高校卒業と同時に故郷・新潟を置き去りにして飛び出した私にとって、もはや帰るべき家や故郷など、どこにもありはしないのだ。

閉会式で『故郷』を歌いながら、深い憂愁の気持に支配されかけたその時、萩本さんの声が再びスタジアムに木霊《こだま》した。

「私たちの故郷は、地球です！」

五万人の人々が持つ提灯に灯がともり、花火が上がり始めた。萩本さんが紹介してくれた、ある宇宙飛行士というのは、サウジアラビア人のスルタン・B・S・アル＝サウド氏のことである。今、もし彼が、宇宙船の窓から、この五輪閉会式の光景を見ていたとしたら、一体どんな感想をもらすだろう。

「ああ、わが故郷の星に、今、灯がともった。なんと美しい星だろう。さあ、急いで帰ろう。家族や友人たちが待つ、あの故郷へ……」

そんなふうに呟くのではなかろうか。

（日本経済新聞　一九九八・三・二二）

平和こそ共通の夢

「一つの世界　一つの夢」という北京五輪の大会テーマを知った時、いかにも中華思想的だと感じた。世界の中心に中国があり、中国の夢に同化せよと宣言しているように思われたからだ。

でもそれは違った。中国語のオリジナル表記は「同一個世界　同一個夢想」。言語や肌の色も異なる多様な民族が、その違いを超えて同じ一つの夢を見ようよ、という素晴らしい提案だった。

中国の公式ポスターでも、テーマの英訳が「One World One Dream」となっているので、そのような日本語訳が生まれたのだろう。本来なら「One Common World One Common Dream」とすべきだったのではないか。

さまざまな違いを抱えた多民族にとって、共通する同じ一つの夢と理想とは、いったい何だろう。それは「平和」以外にはありえない。

オリンピックは戦争に反対し、平和の祭典であるからこそ意味がある。私が長野冬季五輪開会式のイメージ監督を務めた時も、まず考えたことは「平和」であり、私が提案したテーマも平和を実現するための「愛と参加」だった。私はその「平和」を開会式の総監督を務めた張芸謀（チャン・イーモウ）監督が、どう表現するか注目してテレビを見た。

光と色と音の洪水。アナログの人間とデジタル技術の融合。世界的な映画監督らしく色彩豊かでダイナミックな演出だった。夜間の開会式として、画期的な大会になったと思う。

孔子の言葉が引用されたり、紙や印刷技術が中国の発見であることが紹介されていた。中国の思想と技術から生み出された文字・漢字は、長い歴史を持つ中国を象徴する文化である。これほど文字や言葉にこだわった開会式は初めてだろう。そこで中心となった文字も「和」だった。

愛称が「鳥の巣」というメーンスタジアム。その意味が開会式を見ていてよく分かった。平和の象徴である鳩《はと》が描かれるシーンがあった。つまり鳥の巣とは鳩の巣であり、平和が巣立つ場所という意味だったのだ。

そうだとすれば会場の床が割れて地球が出てくる場面も、平和という夢と理想をはらんだ鳥の卵のように私には受け取れた。その夢の卵を孵化《ふか》してくれるのは、世界中の子供たち、その笑顔の温かさというわけだ。

最後に会場も街もたくさんの花火で包まれたが、その中に鳩の翼のように広がる花火があった。ついには会場全体が鳩と化す平和の演出だった。

さて北京五輪が、このような多民族の壁を越えていくことを願う平和の大会であればあるほど、チベットやウイグルの問題などに対して、寛容で懐の深い中国でなければならないだろう。それでなければ、多様な民族が一つの同じ夢を見ることなど、単なる掛け声に終わってしまう。

世界中で悲惨なことが日々、起きている。四川大地震の惨状には、私も新潟地震の被災者の一人として心をいためた。

一年も前から練習してきたプログラムを変更することは至難の業。そのことは私も当事者であった体験があるのでよく分かる。しかし開会式の冒頭に四川大地震の被災者も含め、世界中の死者と遺族のために、ほんの十秒でいいから黙祷《もくとう》をささげてほしかった。そうすれば張監督の平和への希求と祈りは、より深いものになったと思う。


（共同通信の配信　新潟日報　二〇〇八・八・一〇）

第六章　岡倉天心、会津八一、三波春夫など

八一のイメージ

二年後にせまった第十九回長野冬季オリンピック大会のイメージ監督にこのほど就任した。イメージとは、もちろん心像、心の中に思い浮かべた像のことだが、イメージ監督とは耳新しいことばである。要するに、〝愛と参加〟という大会コンセプトを、人間の五感を通じてもっとわかりやすくイメージさせる、そのような仕事であるらしい。見えないものを見ようとするとき、私たちはまずイメージするではないか。そのイメージを手がかりとして、本質にせまろうとする。

さて漱石には漱石の、安吾には安吾のイメージがあるが、では会津八一（一八八一～一九五六・享年七十六）のイメージとはどのようなものであろうか。八一は『鹿鳴集』の歌人であると同時に、東洋と日本古代美術の学者であり教育者でもあった。さらに俳人であり書家でもあり、園芸から天文にいたる多趣味にして多芸多才の天才であった。

このような人物が外にもいたろうかと考えたとき、まっさきに思い浮かんだのは、詩人にして小説家、画家、陶芸家、映画監督で、二十の顔を持つ天才と言われたジャン・コクトー（一八八九～一九六三・享年七十五）のことであった。

国籍は異なるものの、ほぼ同時代を生きたこの二人に共通するイメージは、マルチフェイス、あるいは様々な芸術ジャンルを自在に越境し交通した自由人であったということである。コクトーと同様、八一の交遊も実に多彩であった。その全貌が昨年の〝会津八一と心をかよわせた文人展〟に紹介され、またこのたびは『八一　もう一つの世界』に結実したわけである。

八一をイメージして、その玄妙なる世界を旅するために欠くべからざる存在になるであろう本書の出版を、読者と共に喜びたい。

（『八一　もう一つの世界』刊行に寄せたエッセイ　一九九六・四・二〇）

わが心の町・新潟

私のふるさとは新潟市である。この町が生んだ作家といえば、まず坂口安吾ということになる。日本海をのぞむ護国神社境内に小高い丘があり、その天辺に巨石でつくられた安吾の文学碑が建っている。

ふるさとは
語ることなし

中学生時代の私は、放課後になるとよくこの丘にのぼった。実家とは正反対の方角にあるのだが、道草をするには格好の場所であった。碑文を眺めながら考えた。語ることなきふるさととは、はて、いかなるふるさとであるのか？

碑文の解釈には二説あるらしく、自分を追い出したふるさとのことなど語るに価せずという憎しみから発したというA説。いやそうではない。晩年の安吾は『富山の薬売りと越後の毒消し』（安吾新日本風土記）取材のため帰郷したり、良寛の天上大風の心境に感銘したりしている。ふるさとに寄せる郷愁は万感胸にあふれて一言も発することができないとするB説。

はたしてA説とB説のどちらに真実があるのか議論のわかれるところだが、私は両説とも正しいと考えている。好きだけど嫌い、大嫌いなのに大好き、という愛憎相半ばするアンビバレントな感情を抱くところにこそ、ふるさとのふるさとたる所以があるのではなかろうか。

☆

二年前、老母が九十一歳で死んでから、とんと無沙汰をしていたそのふるさとに、久しぶりで帰ってきた。これにはもちろん理由がある。新潟県下全域に大部数を誇る新聞社、新潟日報が『新潟のやきもの』という本を出版することになった。県内に窯をもって活動する陶芸作家たち約六十名の、人物と作品紹介から成る写真文集である。執筆したのは同紙の記者、佐藤和正さんで、彼が数年間かけて連載したものをまとめたのだ。

その佐藤さんから、本の題字と巻頭文を書いてほしいという依頼がきた。ところが執筆者の佐藤さんには、この本がいくら売れたとしても社の規定で一円の印税も入らぬという。

「それでも良いのです。名誉なことですから」

そう言って佐藤さんは微笑する。名より実を取る人もいれば、実より名を取る人もいるのである。「新潟のやきものはまだまだ無名だが、その素晴しさを何としてでも天下に知らしめたい！」彼の熱い思いにほだされて、私はこの依頼を喜んで引き受けることにした。ほどなく出版記念パーティの通知が届いた。同時に〝新潟のやきもの展〟も開催するという。本で紹介した陶芸作家たち全員の作品を展覧する前代未聞の催事であるという。

会場にあてられた新潟伊勢丹ホールに足を一歩踏み入れたとたん、私は仰天してしまった。この町にこれほど大勢のやきもの好きがいたのかと、わが目わが耳を疑うほどの人の波、波、波、波ではないか。

本当に良かったね、佐藤さん。その晩、久しぶりに飲んだ新潟の酒の美味しかったこと。


（「別冊　文藝春秋」一九九六・二・一〇）

日本海に沈む夕日の色

最近、陶芸の面白さに魅かれ、自分でも作品を作るようになった。陶芸の魅力は、他の芸術ジャンルと違って、仕上がりが全く予想できないところにある。焼き物の神様である火の神様は気紛れで、その神様がにっこり微笑んでくれないことには、いい作品は生まれない。ピカソでもマチスでもコクトーでも、最後には陶芸に手を出し夢中になった。その気持ちは私にもよくわかる。火と土の芸術というものは、作者の意のままにならないところがかえって魅力なのである。

たまたまご縁があって、陶芸家の伊藤赤水さんとお知り合いになることが出来た。赤水さんは「無名異焼」を継ぐ五代目で、新潟県の佐渡で作家活動をしている方である。私はTVの仕事で赤水さんと対談することになり、佐渡の工房まで足を運んだのである。そしてたちどころにして「無名異焼」に魅了されてしまった。

佐渡の赤い土から焼き上げた壷を見せられた時に、「ああ、懐かしいな」という思いがこみあげてきた。窯変の赤色が、日本海に沈みゆく夕日を見事にあらわしていたからである。少年時代から日本海の夕日ばかり見て育った私にとって、まさしくそれは故郷の海に落ちる夕日を彷彿とさせる色であった。

赤水さんの作品を見ていると、夕日を思い出し、日本海を思い出し、今は遠い少年時代の日々を思い出す。

（「気持ちのいい場所」一九九六・一〇・一〇）

牧之と天心

旅の目的は風景ではない、人だ……。私はかねがねそう考えてきた。無論、美しい風景に出会うのは嬉しいが、もっと嬉しいのは面白い人、味わい深い人、とんでもない人に出喰すことにある。新潟県内のどこでも好きな所を、と言われて私が選んだのは、日本一の豪雪地帯として名高い塩沢であった。

〈そうだ。鈴木牧之《ぼくし》に会いに行こう！〉

☆

とはいうものの、彼の名を知る者は多くないであろう。江戸時代後期、塩沢に生まれた縮《ちぢみ》商人・牧之は「我が里の名をあまねく世に及ばさん」と願い、執筆にとりかかる。昼は本業の商売（縮の仲買いと質屋）に励み、夜、余暇を見つけては文章をつづった。〝堪忍〟の二文字が座右の銘であった。

世界的名著といわれる雪国ドキュメント『北越雪譜』が出版されたのは天保八年（一八三七）のこと。彼は六十八歳、書き始めてからなんと三十余年が過ぎていた。これが評判を呼び、大ベストセラーになった。今でも岩波文庫で読むことができる。

鈴木牧之記念館を見学したのち、菩提寺の長恩寺に向かった。牧之の墓は雪に埋もれ、わずかに天辺だけが顔を出していた。

〝元祖・二足のわらじ〟

私がそのように思い敬愛している牧之の墓前に立った時、ふと脳裏に浮かんだのは彼の父・牧水が詠んだ辞世の句、「仮りの世の　夢まだ覚めず　ほととぎす」であった。ほととぎすは、時鳥とも書く。瞬間、雪の下で、堪忍堪忍……と呪文のように呟きながら筆を走らせる牧之の姿を幻視したような気がした。

☆

牧之も歩いた桃源郷の秋山郷、松之山、板倉、新井、中郷、妙高村を経由して妙高高原町に入った。もう一つの世界的名著『茶の本』の著者、岡倉天心、終焉の地である。目ざす天心六角堂は案の定、雪の下に埋もれていたが、ここをどうしても訪ねたかったのには理由がある。晩年の天心はこの地方を愛し、

「東洋のバルビゾンである」

と言ったという。それは何故か？そして

『東洋の理想』の冒頭に、

「亜細亜は、一つなり！」

という、とてつもない大風呂敷を広げたのは何故か？　須弥山《しゅみせん》（世界の中心）とも呼ばれる雪の妙高山を遥かに仰ぎ見ながら、天心の真意を探ろうと思ったからである。

かくして私の小さな旅は、〝堪忍から大風呂敷に至る大旅行〟とあいなった。

（「いい旅見つけた」一九九九・六・一六）

三波さんとふるさとの約束

二〇〇一年四月二十九日（日）の夕刻。

新潟市郊外、鳥屋野潟の湖面にその威容を映す新潟スタジアム（愛称ビッグ・スワン）は、県内はもとより日本中からつめかけた四万三千人もの観客で埋めつくされており、すでに立錐の余地もない。

来年開催される日韓ワールドカップサッカー大会のために建設中だった、この巨大スタジアムがついに完成した。その完成を祝い、同時に二十一世紀の幕開けを祝う県民文化祭〝新潟二〇〇一年宇宙の旅〟が、もうすぐ始まろうとしているのだ。なにしろ、新潟県の歴史始まって以来の大イベントである。その開催を告知宣伝する大量のポスターが、半年以上も前から県内のいたるところに貼られていて、そこには必ずメインゲストである三波春夫さんとさだまさしさんの名前がしるされているのだった。

やがて開幕である。スタジアムの中央ステージには、県内一一一市町村の代表者たちが次々に登壇し、自慢の伝統芸能を披露してゆく。そして午後六時四十五分。第一部のフィナーレを飾るのは、新潟県民が誇る『佐渡おけさ』の大民謡流しである。ざっと三千人はいるだろうか。踊り手たちの足の位置がぴたりと決まり、あとは音楽の出を待つばかりである。観客と踊り手たちの目は、いっせいに中央ステージに注がれた。固唾を呑んで、その人の登場を待った。いくら待ったところで、詮ないことである……、それは百も承知だった。でも、信じたくなかったのだ。だから待った。しかし、そこに立ち満面に微笑を浮かべて歌ってくれるはずの三波春夫さんは、ついに姿をあらわしてはくれなかったのである。

三波さんは大正十二年七月十九日、新潟県は三島郡《さんとう》・越路町《こしじ》で生まれた。本名、北詰文司さんの実家は、本屋だった。

「本屋の文ちゃん、本屋の文ちゃん」

そう呼ばれながら成長した。

七歳の時、突然、母親が亡くなった。腸チフスだった。父親と文ちゃんが悲しみのどん底に突き落とされたのは言うまでもない。その悲しみと淋しさを振り払おうとでもするように、父親は毎日、夕食後、文ちゃんに民謡を教えるようになった。七歳のまだ幼ない男の子が声を張り上げて歌うその歌声は、ふるさとの山河に、いったいどのように響いたことだろう。三波さんは言う。

「死んだおふくろの耳には、きっと、お経のように聞こえたかもしれませんね……」

十三歳で上京し、十六歳で浪曲師・南條文若としてデビューした。それから後の活躍は本文にまかせるが、三波さんはシベリアの収容所にいる時も、人気歌手として日本中を巡業している時も、ふるさと新潟のことだけはかた時も忘れなかった。

「私の生まれは新潟県でございます。おけさの国の歌手でございます」

舞台に立つと、三波さんは必ずそう言った。どんなに忙しくても、ふるさとから依頼された仕事だけは断らなかった。国民的歌手の実像とは何よりも〝望郷の人〟であったのだ。

三波さんと同様、私のふるさとも新潟県である。現在の私は小説を書きながら、作詞作曲をしたり、様々なイベントのプロデュースをしたりしている。

数年前、新潟県知事の平山征夫《いくお》さんから依頼があって〝新潟県民文化祭〟というイベントのプロデュースをすることになった。一九九九年秋のことである。

メインゲストとして出ていただいた三波さんは、名調子で『チャンチキおけさ』を歌い、『佐渡おけさ』を歌ってくれた。（この時に録画した映像が後で大いに役に立つことになろうとは、当時は予想もしなかったが……）

イベントの最後に越路町の伝統芸能〝灯籠揃え〟が登場し、笛や太鼓、そしてチャンチキと呼ばれる鐘の音が場内に響いた。

司会をしていた私は、傍に立つ三波さんにマイクを差し出し感想を求めた。すると、三波さんの様子がどことなくおかしいのである。さっきまであれほど雄弁だった三波さんが急に黙り込んでしまい、うつむいたまま一言もしゃべらないのだ。

「三波さん、どうされました……？」

私はそう言いながら、うつむいた三波さんの横顔をかいま見て、はっとした。三波さんは大粒の涙を浮かべて泣いていたのである。

〝芸人というものは、舞台の上で決して泣いてはいけない〟

それが鉄則なのだそうだ。これは後で三波夫人から聞いたのだが、

「五十年近くつれそってきましたが、舞台の上で泣いた三波の姿を、わたし、初めて見ました。おどろきました。あらいさん、あなたは舞台で三波を泣かせた初めての男ですよ」

夫人は、そう言うのだ。

だが、もちろん、三波さんを泣かせたのは私ではない。三波さんを泣かせたのは、ふるさとなのである。少年時代をすごしたふるさとの山河、その山河に響いていたのと同じ笛や太鼓や鐘が、なつかしいその音色が、三波さんを泣かせたにちがいないのだ。

お祭の夜になると、文ちゃんは母親に手を引かれて、灯籠揃えの見物に出かけたことであろう。なつかしい情景の数々が走馬灯のように浮かんでは消え、万感胸にせまり、あふれ出るものをどうしても止められなかったのであろう。三波さんが流す突然の涙に、県民会館をうずめた二千人の観客は一瞬、息を呑み、そしてもらい泣きをしたのだった。

県民文化祭の仕事がご縁となって、三波さんとのおつきあいが始まった。ある日、三波さんからこんな電話が入った。

「実はおねがいがあるんですよ……」

三波さんは一呼吸おくとつづけて、

「昔から僕は大好きなものが決まっていましてね、人間でいえば良寛さん、お山でいえば富士山なんです。それでね、あらいさん。ひとつ『富士山』というタイトルの歌を作ってくれませんかねえ」

もちろん郷土の大先輩の申し出を断わるわけにはゆかない。喜んでお引き受けすることにした。そうして三カ月後、『富士山』の詞と曲が出来あがった。デモテープを差し上げると、三波さんは大そう喜ばれ、さっそくこんな礼状を送ってくださった。

「私の人生のラストを飾る『富士山』を、学兄に作っていただくなど夢にも思いませんでした。それにしても如何なるめぐりあわせでしょうか。家内も心から御礼を申し上げております。夫婦のこし方を書き込んでくださったこと、ありがたくありがたく感謝しております」

三波さんはどんなところに心を動かされたのだろう。例えば『富士山』三番と四番の歌詞はこんなふうになっている。

夕焼け雲が　燃えている

ふるさとの山　光る河
父、母、幼な友だちの
歌が聞こえる　富士の山

白雪しんと　降りしきる
様々なこと　思い出す
「よくやったね」と　微笑《ほほえ》んで
春を夢見る　富士の山

三波さんは、この歌を歌っていると、なんだか本当に、ふるさとの山や河から、「文ちゃん、よくやったねえ」とほめられているような気がしてくる、と言う。さらに歌詞四番の中にある「春を夢見る」の「春を」とは、三波春夫の「春夫」のことであり、「白雪しんと降りしきる」の「雪」とは、実は家内の名前の「ゆき」でもあるのですよ……。

三波さんにそう言われて、私は仰天した。たしかに私は、三波さんが歩いてきた人生航路を思い浮かべながら作詞したが、夫人のお名前のことまでは存じ上げなかった。

だから、歌詞四番の中にご夫婦の名前が二つとも入っていたのは、全くの偶然なのである。しかし今となっては何やら必然というか、天の配剤のような気もしてくる。

二〇〇〇年五月二十六日（金）の午後、青山のスタジオで、新曲『富士山』の歌入れが行われた。夫人のゆきさんとお嬢さんの美夕紀さんが見守る中、三波さんは実に気持良さそうに『富士山』を歌った。しかしまさかそれが、三波さんの人生における最後のレコーディングになろうとは、夢にも思わなかったのである。

二〇〇一年四月十四日（土）午後四時五分、三波さんは前立腺ガンのため都内の病院で急逝された。七十七歳だった。そのニュースを知って私が驚き悲しんだのは言うまでもない。と同時に目の前がまっくらになった。〝新潟二〇〇一年宇宙の旅〟が、わずか二週間後にせまっていたからである。そのやさきの訃報だった。

〈三波さんは出演できなくなった。さあ、この穴をどうやってうめたものだろう〉

総合プロデューサーの私は悩んだ。悩んだ末に、次のような結論に達した。

〈三波さんの穴をうめる……。そんなことを考えるのは、もうやめにしよう。この大きな穴

をうめられるような人は、即ち三波さんに匹敵するような大歌手は、たとえ世界中さがしたとしても見つかるわけがないのだから〉

そうであるならば、三波さんは当初の予定通り出演していただこう……。私はそう考えたのだった。

四月二十九日午後六時四十五分である。

ビッグ・スワンの中央ステージに、三波さんの姿はなかった。しかし、目を転じて南側スタンド最上段の方を見上げると、オーロラヴィジョンの大画面に、三波さんの姿が大きく映し出された。さらに、三波さんの笑顔が大映しになった。二年前、県民文化祭の折に録画しておいた記録映像である。お囃しの三味線がなり始めた。着物姿の三波さんはおもむろに歌い始めた。名調子の『佐渡おけさ』である。

三波さんの歌声に合わせて、おけさ連、三千人の群舞が始まった。そこに手拍子が加わる。一糸乱れぬ動作で四万三千人が打ち鳴らす手拍子である。それは遠くから眺めると、生まれたばかりの白鳥が、『おけさ』に合わせて立ち上がり、羽根をふるわせはばたいているように見える。

三波さんはどんなに忙しくても、ふるさとの依頼だけは決して断わらない、そういう人であった。では今回のイベントに限って、三波さんはふるさととの約束を破ったのだろうか。そうではない。約束は、最後の最後までちゃんと守ってくれたのだ。三波さんは死んでも、約束通りに駈けつけてくれて、歌ってくれたのである。

四万三千人を巻き込んでくり広げられるビッグ・スワンの『おけさ』は、ほんとうに圧巻だった。夢の中で夢見るような陶酔感だった。三波さんの明かるく澄んだ歌声は、ふるさとの夜空にいつまでも響きわたった。

（ＰＨＰ文庫　三波春夫著『歌藝の天地』文庫版解説　二〇〇一・五・一一）

有終の美

三波春夫さんが生きた七十七年の生涯を鳥瞰するとき、私の胸にまず思い浮かんでくるのは〝有終の美〟という言葉なのです。

最後まで立派になしとげることを〝有終の美を飾る〟と言います。言うのはかんたんですが、かんたんにできることではありません。だってそうでしょう。最近の世の中を見回してみてください。マスコミに報道される事件の主役たちはどれもこれも〝有終の美を飾る〟どころか、〝晩節を汚《けが》す〟面々ばかりではありませんか。

飛行機パイロットにとっても、離陸するよりはるかにむずかしいのが着地だそうです。

・どのように着地するか。
・人生の最晩年をどう生きるか。
・どんな気持で臨終を迎るべきか。

三波さんはそのことをかなり以前からずっと考えつづけてきたのだと思います。考えた結果、前立腺ガンのことは最後の最後まで秘密にしようと決心したのです。それが三波さんの美学でした。

二〇〇一年四月十四日午後四時五分。三波さん急逝の報を聞いて私は心底からおどろきました。それはそうでしょう。新潟県始まって以来の大イベント『新潟二〇〇一年宇宙の旅』がわずか二週間後にせまっていたからです。そのメインゲストに三波さんは出演してくれる約束になっていたからです。

〈三波さんは出演できなくなった。さあ、この穴をどうやってうめたものだろう……〉

総合プロデューサーの私は悩みました。悩んだ末に次のような結論に達しました。

〈三波さんの穴をうめる……、そんなことを考えるのはもうやめにしよう。この大きな穴をうめられるような人は、つまり三波さんに匹敵するような大歌手は、たとえ世界中さがしたとしても見つかるわけがないのだから〉

そうであるならば、三波さんには当初の予定通り出演していただこう……。私はそう考えたのでした。

二週間後の四月二十九日、新潟ビッグスワンの中央ステージに、三波さんの姿はもちろんありませんでした。しかしオーロラビジョンの大画面には、三波さんのいつもの笑顔が大映しに映っていたのです。四万三千人の大観衆をまきこんで歌った三波さんの『佐渡おけさ』は、本当に圧巻でしたよ。

死んだはずの三波さんが、たしかにいたのです。ビッグスワンにいて、約束通り歌ってくれたのです。それは三波さんにとっても新潟県民にとっても幸せなことでした。もし三波さんが、病気を理由に前もって出演を断わっていたらどうなったでしょう。ああいうぐあいには絶対にならなかったことだけは確かです。三波さんは死後も映像で出演することによって、そういう演出をすることによって、実に見事に有終の美を飾ったのでした。

でも、どうでしょうねえ。あれからさらに一年後、故郷越路町に自分の銅像が建てられることを三波さんは予想していたでしょうか。まさかそこまでは……、と私だって思います。しかし、二〇〇二年四月十四日の除幕式に参加して私がしみじみ思ったのはこういうことです。

〈三波さんは銅像建立のことも先刻承知だったのではなかろうか〉

そうでなくて越路町の桜が、例年より一週間以上も早く満開になるわけがないじゃありませんか。三波さんが最後に歌った『富士山』の一節を思いだします。

桜の花が咲いている
旅立ちのとき胸あつく
遥かな空に虹かける
仰げばそこに富士の山

満開の桜の下で銅像は除幕されました。きれいだったなあ。一幅の絵のようだったなあ。桜の花びらが風に吹かれて一輪二輪、銅像になった三波さんの肩にふりおちていった。あれは本当にきれいだったなあ。

（「三波春夫顕彰事業記念誌」二〇〇二・六・八）

陶芸家への道　ナビゲート

『陶芸入門』というビデオに出演してくれませんか、という依頼が来た。三年ほど前のことである。俵万智さんや東野圭吾さんなど私を含めて全部で六人の作家たちが、東京芸大の島田文雄先生の所に弟子入りし、指導を受けながら作品を作る。その一部始終をビデオにおさめて売り出そうという計画らしい。以前から陶芸には興味をもっていたし、願ってもないお話なので喜んで出演することにしたのは言うまでもない。

さて、火と土と炎と約一カ月間の格闘が始まった。〈陶芸とは、闘芸である〉などと呟《つぶや》きながら無謀にも、直径七十センチの大鉢作りに挑戦した。ひもつくりの成形、素焼き、下絵付け、釉がけとすべてが順調だった。〈もしかすると俺《おれ》は、天才か？〉などと思いつつ、ようやく本焼き。一二六〇度の熱で二十二時間焼いた後、いよいよ窯出しである。だが、待ちに待った処女陶芸作品を目のあたりにした瞬間の失望と絶望は、今でも忘れられない。それは大鉢どころか、見るも無残に歪《ゆが》んだ土の塊でしかなかった。

「オブジェとしては、なかなかおもしろい……」

島田先生は一生懸命ほめてくれたが、要するになぐさめてくれたのだ。私は決心した。

〈陶芸家への道は、きっぱり諦《あきら》めよう〉

☆

それにしても、どうすれば陶芸家になれるのだろう。どんな条件が必要なのだろう。

新潟県で活躍する陶芸作家とその作品を、美しい写真と丁寧な文章で紹介した『新潟のやきもの』から五年、その続篇ともいうべき『新潟のやきもの　PART2』(佐藤和正著・新潟日報事業社刊・二〇〇〇円)がこのほど出版された。二冊合わせて百二十人。これで新潟県陶芸界の全容が初めて明らかになったわけである。

新刊を一読して驚いた。そこには実にさまざまな生き方が紹介されていた。例えば、かつて国鉄の機関士をしていた長谷川与四三さんは退職後、婦唱夫随で陶芸教室に通ううちに陶芸家となり、現在は〝くみする窯〟を主宰している。また〝花工房〟の主人、滝沢澄江さんはかねてより「五十歳になったら教師をやめよう」と決めていたらしい。やめてから何をすべきか。無数の選択肢の中から、なぜあえて陶芸を選んだのか。そこには運命的な出会いがあったのだという。まだある。総胆管結石という病気の手術後、「女房から勧められて」陶芸を始めた〝幸輝窯〟の高橋芳夫さん、三人の男の子を育てながら作陶する〝普通の主婦〟水島武瑠子さん、ホテルのオーナーでもある氷熊信充《のぶゆき》さんが独学で陶芸を始めたのは早い話が「集客のためでした……」。

どんな人が陶芸家になれるのか。どんな人でもなれるのである。人生の後半を好きなことをして生きてゆこう。自分の人生の主役は自分なのだから。そう考えて精進すればよいのだ。本書を読んでいるうちに、少し勇気がわいてきた。〈陶芸家への道、諦めるのはまだ早過ぎるかもしれないぞ……〉

（新潟日報　二〇〇一・一一・二七）

『ふるさとの記憶』に寄せて

高井さんが開窯して三十年になるという。

それを記念する作品集のタイトルが『ふるさとの記憶』と知って感慨深いものを感じた。

　ふるさとの山に向ひて

　　言ふことなし

　　ふるさとの山はありがたきかな　（啄木）

高井さんは、妙高高原に生まれた。ふるさとの山である妙高山を仰ぎながら少年時代をすごし、長じて〝妙高焼〟を成《な》した。即ち妙高山とは高井さんにとって、産みの〝母〟なのである。

ところで仏教の世界で妙高山といえば〝須弥山《しゅみせん》〟のことになる。

世界の中心に聳《そび》え立つ高山で、太陽も月も星もこの山のまわりを回転している。

即ち妙高山とは高井さんにとって、目標となる〝父〟でもあるのだ。

母であり父でもある〝ふるさと妙高山〟から出発した髙井さんは、今再びそこに戻ってきた。そして〝ふるさとの記憶〟をたぐりよせながら、次の三十年に向けて全く新たな創造の旅を始めようとしている。
髙井さんの再生と挑戦に、乾杯！

（髙井進作品集『ふるさとの記憶』二〇〇八・一〇・二六）

平和の日・新潟の集いに寄せて

日本ペンクラブの第十七回「平和の日・新潟の集い」が三月三日午後一時から県民会館大ホールで開かれる。新井満氏はじめ八人の作家が対談形式で「平和の日に想《おも》う―」をテーマに語り合う。新井氏に一文を寄せてもらった。

☆

ペンクラブというものをご存じであろうか。今から八十年ほど昔、ロンドンで作られた文筆家たちの国際的な組織で、世界各国にある百三十二のペンセンターが加盟している。日本ペンクラブもその一つで、加盟したのは昭和十（一九三五）年、初代会長は島崎藤村であった。以後、正宗白鳥、志賀直哉、川端康成とつづき、現在の会長は一昨年、文化勲章を受章した梅原猛さんである。

大方の読者はペンクラブの〝ペン〟という言葉から、万年筆のペンをイメージされるかもしれない。それでも一向にかまわないのだが、実は、もう一つ別の意味もあって、ポエット（詩人）のP、エッセイスト（随筆家）とエディター（編集者）のE、ノベリスト（小説家）のN、以上三つの頭文字を取ってペン（PEN）としたのである。

ペンクラブのメンバーになるには、理事の推薦がいる。私の場合、十年前、芥川賞の受賞直後に大江健三郎さんの推薦を受けて入会した。現在のメンバーは、ざっと千五百人である。ペン憲章には、表現の自由を守ることと、諸国家間の憎しみを取り除き、相互理解を深めることがうたわれている。即《すなわ》ち、〝自由〟と〝平和〟である。これがペンクラブの二大目標と言ってよいだろう。

ところで、毎年、雛《ひな》祭りの日に、全国各地で開かれてきた日本ペンクラブ最大の行事〝平和の日の集い〟が、本年はタイミング良く新潟市で開かれることになった。この会のユニークなところは、作家たちが大挙して訪れること、そして講演ではなく対談形式で激論をたたかわせることにある。平和を実現するために、暴力や兵器を使ったとしたらナンセンスだが、バトルトーク（言葉によるたたかい）なら大いに結構というわけだ。

写真は、一昨年、群馬県伊香保町で開かれた折のもので、（左から）梅原会長、司会の小中陽太郎、米原万里、井上ひさし、以上四氏が舞台上で舌戦をくり広げているところ。会は大盛況で、町の総人口の四分の一の人々が集まったのは、美空ひばりショー以来の動員記録だったという。

さて、新潟の集いの出演者は次の通り。

第一組＝米原万里―西木正明、第二組＝森ミドリ―新井満、第三組＝俵万智―赤瀬川隼、第四組＝下重暁子―辻井喬

〝平和の日に想う二十一世紀・ふるさと・みどり・私たちの暮らし〟をテーマに、どんなバトルが展開するか。県民の皆さんとともに、当日は大いに盛り上がりたいと思う。

（新潟日報　二〇〇一・二・二六）

まさか私が画家になるとは

小さな子供と同席した大人は、よくこんな質問をするものである。

「大きくなったら、何になりたいの……?」

そんな時、少年時代の私はきまって、

「大きくなったら、画家になる!」

と答えていた。

これにはわけがある。小学校二年生の春、私は少々ややこしい病気にかかってしまった。医者からは〝絶対安静〟を言いわたされて、数カ月間寝てくらした。病気が快方に向かってからも、外で遊ぶことを禁じられた。私は仕方なく、家の中で絵を描き始めた。

実家が文房具店であったので、絵を描くための道具は全《すべ》てそろっていた。画用紙もクレヨンもクレパスも絵の具も、文字通り〝売るほど〟あって不自由しなかったのだ。朝から晩まで絵を描きながら、子供心にふと「画家になりたい」と夢見たのかもしれない。

中学も高校も、美術クラブに入り、デ・キリコばりのシュールな絵ばかりを描いていた。

しかし、大学入学と同時に画家になる夢はあきらめた。デ・キリコばりの絵をいくら上手に描けたとしても、デ・キリコを超えることにはならない。模倣ではなく創造なのだ。私は自分の才能に見切りをつけたのだった。

☆

歳月が流れた。縁あって私は二十代でシンガー・ソングライターに、三十代で環境ビデオのプロデューサーに、四十代で小説家になった。その他にも様々《さまざま》な表現活動を試みてきたが、絵だけはとうとう描かなかった。

昨年春、『絵本・千の風になって』（理論社）を出版した時も、私は文章だけを書き、絵はプロの画家である佐竹美保さんにお願いした。佐竹さんの感動的な絵のおかげで、この絵本は版を重ねており、海外でも出版されている。

だから絵本『月子』（ＰＨＰ研究所）を出版する時も、当初、私は文章だけを書き、絵は旧知のフランス人画家Ｄ氏にお願いしたのだ。

Ｄ氏は大変な情熱をもって絵本作りに取り組んでくれた。その気合の入れ過ぎが、かえって仇になったのかもしれない。傑作絵本を作ろうとしたD氏は、約束の三カ月が過ぎても絵が描けず、半年たってもまだ未完成。とうとう一年後、ノイローゼ状態になって本国に帰ってしまった。

出版社も困ったが、私も困った。D氏を強く推薦したのはこの私だったからだ。しかも一度ミソのついた仕事を、今さら他の画家に頼むわけにもいかない。頭をかかえていたら、

「いっそマンさんが絵を描いてみませんか」

と編集者が言うのである。

「できるかなあ、ぼくなんかに」と私。

「できますとも、たぶん……」と編集者。

編集者におだてられて、久しぶりに絵筆を持ってみた。高校卒業以来だから四十年ぶりである。制作期間は一週間。道具は色紙、糊《のり》とハサミ、セロテープなど。原画を見ていただければわかるが、これは絵というよりは限りなく〝工作〟に近いものであろう。

一週間後、絵本『月子』の原画が完成した。それを見てくれた友人の画家が呟《つぶや》いた。

「こんな変な絵、見たことないなあ……」

嬉《うれ》しかった。私にとって最高の誉《ほ》め言葉だった。瓢箪《ひょうたん》から駒とは、このことであろう。一

度は断念していた少年時代の夢が、これでかなったことになる。

（新潟日報　二〇〇五・三・二九）

第七章　緑の百年物語のこと

木を植えた男を訪ねて

本誌の読者なら、短篇小説『木を植えた男』のことはよくご存知であろう。もし、まだご存知でないというならば、どうかお近くの書店で手にとっていただきたい。子供向けの絵本である。読み終えるのに十五分とかからない。しかしその感動は読み終えてから五年たっても十年たっても終わらないくらい深いのである。正直に申し上げて、この作品に出会ってから私の人生はかなり変わったように思う。大げさに言っているわけではない。本当にそうなのだ。

どんな物語かというと、南仏はプロヴァンス地方の荒れ地に何十年にもわたって木を植えつづけ、ついにそのあたり一帯を緑したたる森に変えた一人の羊飼いの話なのである。彼の名前はブフィエ、五十五歳。若い頃は平地で農業を営んでいたのだが、妻と息子に先立たれてからは引退して気ままな一人暮し。

〈愛犬と共にのんびり暮しながら静かに老いて死ぬのもわるくないよな……〉

一時はそんなふうに考えたこともあったが、〈待てよ〉と思い直した。人生の第四コーナーを漫然とすごすより、何でもいいから何か一つくらい世の中のために役立つことをしながら老いてゆくのもいいんじゃなかろうか。それにしても自分のような老人に、いったいどんなことができるのだろう……。思案の末に、ある日、思いついた。

〈そうだ、木を植えよう！〉

誰の土地か、そんなことはどうでもよろしい。木のない土地は死んだ土地も同然。荒れ地に植えた木がすくすく育ってゆき、やがて林になり森になったとしたらどんなに素敵だろう。羊飼いの老人は、たった一人で木を植え始めた。ただ黙々と木を植えつづけた。その間に第一次世界大戦が始まって終わり、第二次世界大戦も始まって終わった。そうして、荒れ地を豊かな森に変えた老人は一九四七年、バノンの養老院で誰に知られることもなく、八十九歳の生涯を閉じたのだった。

長年にわたって木を植えたからといって、ブフィエ老人に名誉や名声、地位や権力やお金のたぐいが集まったかというと、そんなことは決してなかった。対価を期待しない、純粋に無償の行為だったのだ。戦争をひきおこして世の中を破壊しつくそうとする愚かな人間がいる一方で、神の行いにもひとしい創造をなしとげた人間もいたのである。

「この名もない老人に、かぎりない敬意を抱かずにはいられない」

物語の最後に、作者はそう書いている。


「面白いわよ、読んでみたら」

妻にすすめられて、しぶしぶ読み始めた絵本であったが、私は心底から感動してしまった。物語に感動すると、今度は作者のことが気になってくる。『木を植えた男』の作者ジャン・ジオノ（一八九五〜一九七〇）とは、いったいどんな人物であったのか。

私が妻をさそって、ジオノの故郷であるプロヴァンス地方の田舎町マノスクを訪れたのは、今から七年前の秋のことであった。我が国でジオノの名前はほとんど知られていない。しかし、渡仏しておどろいた。本国でジオノといえば、知らぬ者とていない大文豪であったのだ。

私たち夫婦は、物語の舞台となったマノスク周辺を歩き回った。ジオノの墓参をし、膨大な量の写真も撮影した。帰国してから出版したのが夫婦共著の写真紀行文集『木を植えた男を訪ねて――ふたりで行く南仏プロヴァンスの旅』（白泉社・講談社文庫）である。

この出版がきっかけとなって、その後ふしぎなことが次々に起こるのだが、くわしくは次号で紹介したいと思う。

（「ＧＲ現代林業」二〇〇二・一〇）

緑の百年物語

『木を植えた男』という一冊の本に出会ったのが、そもそもの始まりであった。この短編小説を書いたのは、フランスの作家ジャン・ジオノである。作品を読んで感動すると、私はいてもたってもいられなくなり作者の所へ行くことにしている。だが調べてみると残念ながらジオノは、既にこの世の人ではなかった。そういう時はどうするかというと、お墓参りに行くのである。

七年前、私と妻は物語の舞台となった南仏プロヴァンスに飛び、ジオノの生家とお墓があるマノスクという小さな町を訪れたのだった。帰国してから夫婦共著で出版したのが、『木を植えた男を訪ねて　――ふたりで行く南仏プロヴァンスの旅』（白泉社・講談社文庫）という写真紀行文集である。偶然のことながら、この本をNHKテレビのプロデューサーが目にとめ、番組にしたいと申し入れてきた。私たち夫婦はマノスクを再訪し、撮影に協力した。NHKのこの番組『世界わが心の旅　――南仏プロヴァンスに木を植えた男を訪ねて』は何度も再放送されたので、ごらんになった読者も多いのではなかろうか。

ところで、私のふるさとは新潟である。九八年の秋、地元の新聞紙上で私は新潟県知事の平山征夫《いくお》さんと対談することになった。対談の最後に「もうすぐ二十一世紀が来るが、新潟県はどんな記念事業をやるべきか」という話になった。私はこんな提案をした。

「おそらく全国の自治体は、二十一世紀！　二十一世紀！　と叫ぶに違いありません。そうして二〇〇一年の始めに博覧会や記念式典でもやっておしまいにするんでしょう。でもね、新潟県だけは、そういう一過性のイベントでお茶をにごすようなことはやめて下さい。あえて二十二世紀と唱えていただきたい」

「二十一世紀になったとたん、もう二十二世紀を唱えるんですか」と平山さん。

「そうです。全国の自治体の中でひとり新潟県だけは、二十二世紀までつづく記念事業を始めるんですよ」

「百年間もつづく事業ですか……」

さかんに首をかしげている平山さんに向かって、私は『木を植えた男』の物語に感動した夫婦共著の本を出したこと。それがＮＨＫテレビの番組にもなったことを紹介した。すると平山さんは、

「なるほど、それだ！」

と膝を叩いたのだった。

この会話がヒントになったのであろう。対談から二年半後、新潟県が二〇〇一年の元旦を期して始めたのは『にいがた緑の百年物語』であった。これは二百五十万の新潟県民が二十二世紀までの百年間、ひたすら木を植えつづけるという世界的にも例をみない壮大な県民運動なのである。

さて話は変わるが、このたびのワールドカップ開催地として手を挙げた国内開催県の一つである新潟県は、ざっと三百億円を投じて新潟スタジアム、愛称ビッグ・スワンを作った。二〇〇一年四月、その柿落《こけらおと》しイベントを行ったのだが、縁あって私がその総合プロデュー

サーをつとめることになった。四万三千人もの県民が一堂に会するのは、県の歴史始まって以来のことである。何をやるべきか、思案の末に私が考えたのは、県民参加のミュージカルを上演することだった。題して『緑の百年物語・木を植えた男』。

〈はあて、作曲は誰に頼もうか……〉

知人の音楽家はいくらでもいるのだが、どうもぴんとこない。作曲家不在のまま、時間だけが過ぎてゆく。大いにあせった私の眼前にとんでもない人物が登場するのだが、くわしくは次号で紹介したいと思う。

（「GR現代林業」二〇〇二・一一）

前人木ヲ植レバ

私のふるさとでもある新潟県は、二十一世紀記念事業として〝にいがた緑の百年物語〟という植樹運動を行うことになった。これは二百五十万人の県民が、二十一世紀中の百年間を通じて木を植えつづけるという、世界的にも珍しい壮大な県民運動なのだ。

そんな折も折、新潟県はこのたびのワールドカップ・サッカーのために、巨大なスタジアム、ビッグ・スワンを作り、その完成を記念してミュージカル『木を植えた男』を上演することになった。

〈はて、誰に作曲してもらおうか……〉

総合プロデューサーをまかせられた私は思案した。だが結論を出せぬまま、別件の出張でロンドンに旅立ったのだった。

ロンドン滞在四日目の朝のことである。ダイニングにおりてゆくと、いきなり、

「マンさん！　マンさんじゃないですか！」

声のする方を見ると、これはびっくり旧知のさだまさしさんが笑っているではないか。

「どうしてマンさんがロンドンに？」

それはこちらの科白だよとばかり、私もすかさずさださんに問い返した。

「さださんこそ、なぜロンドンなんかに？」

聞けばさださんは、ロイヤル・アルバートホールで大きなコンサートを開くために来ているのだという。さださんとは三十年来のおつきあいだが、この一年ほどは顔をあわせていない。話は尽きないので、帰国してからの再会を約束してその場は別れたのだが、

〈そうだ、ミュージカルの作曲は、さださんにおねがいすることにしよう〉

その時、私は心に決めたのだった。

二〇〇一年四月二十九日みどりの日、新潟ビッグ・スワンに四万三千人の県民を集めて、ミュージカル『木を植えた男』は上演された。全曲を作詞作曲したその上に、主演をつとめてくれたのはさだまさしさんであった。さださんの歌唱と演技は見事だった。しかしこの日のために、雨の日も風の日も雪の日も数ヵ月間にわたって練習を重ねてきた数百人の県民の演技も大したものだった。そうしてフィナーレでは四万三千人全員が声をあわせて、「私は木を植える。いつか森をつくる！」

と歌ったのだった。
五十年前、南仏プロヴァンスで生まれた短編小説『木を植えた男』は、長い歳月をかけて海を渡り、東洋の果ての日本まで飛んできたのだ。そしてとうとう二百五十万人もの新潟県民の心を動かすまでになったのだ。作者のジャン・ジオノはこの光景を天空からどんな思いで眺めていたことだろう。

『木を植えた男』に出会ってから私の人生は大きく変わった。いつのまにか私自身も木を植える男になっていた。鹿児島で大分で新潟で山形で北海道で、講演や取材で旅行するたびにこれまでどれだけの木を植えてきただろう。いや私ばかりではない。木を植えることに喜びを感じる人間は、世界中で増えつづけているにちがいないのだ。
おそらく作者のジオノは、読者の心の荒野にイメージの木を植えてくれたのだと思う。心の荒野にイメージの木を育てる人は、きっと眼前に広がる地球の荒野にも木を植えなくちゃあ、と考える人なのだ。

中国には古くからこんな言葉があるという。

前人木ヲ植レバ
後人涼シ
前人あっての、後人の幸福なのである。今度は私たち自身が前人となって、未来の後人たちの幸福のために、今こそ一本の木を植えようではありませんか。

（「ＧＲ現代林業」二〇〇二・一二）

二十二世紀への贈りもの

二十一世紀まであと数年という時になってにわかに日本中の地方自治体は、二十一世紀記念事業をどうすべきかについて考え始めました。結果、記念事業のほとんどは花火のように打ち上げられ、二十一世紀の到来と共に消えていきました。

しかし、ひとりわが新潟県だけは違いました。新潟県だけは二十一世紀中の百年間を通じて県民がなすべきことを模索し、二十二世紀をも視野に入れた雄大な記念事業を立案し開始したのです。それこそが〝にいがた緑の百年物語〟だったのです。

新潟県民の皆さん、皆さんは世界的にも例のない素晴らしい事業をやり始めたのです。だからもっと胸を張り、誇りをもって下さい。教科書にも紹介されているこの事業を、新潟県民がいかにやりとげるか、日本中、いや世界中が注目していますよ。

緑あふれる美しいふるさとを、二十二世紀の子供たちに残そうではありませんか。

（「にいがた緑百年物語　第14号〈春号〉」二〇〇六・四・一）

【著者紹介】

新井　満（あらいまん）

作家、作詞作曲家。

1946年新潟市生まれ。

1988年『尋ね人の時間』で芥川賞を受賞。

2003年11月に発表した写真詩集『千の風になって』（講談社）とそれに曲を付け自ら歌唱したCD『千の風になって』（ポニーキャニオン）は現在もロングセラーを続けている。

同曲で2007年日本レコード大賞作曲賞を受賞。

著書多数。CD多数。最新刊は『希望の木』（大和出版）。

新潟関連の作品としては、『自由訳　良寛』（世界文化社）、『良寛さんの愛語』、『良寛と貞心尼の恋歌』、CD『秋萩の花咲く頃』（以上考古堂）、『髭とパラソル』（新潟日報事業社）がある。

朱鷺新書

006

ふるさとの夕陽なつかし
望郷随筆集

著　者　新井　満

2012年２月20日　初版発行

発行者　五十嵐　敏　雄

発行所　新潟日報事業社

〒951-8131　新潟市中央区白山浦2-645-54
TEL 025-233-2100　FAX 025-230-1833
http://nnj-book.jp

印刷・製本　新高速印刷株式会社

ISBN978-4-86132-488-8

価格はカバーに表示してあります。